这就是公民

THIS IS THE CITIZENS

美国人的生活与我们有什么不同

（美）范学德 著

中国城市出版社

·北京·

图书在版编目（CIP）数据

这就是公民：美国人的生活与我们有什么不同/
（美）范学德著. —北京：中国城市出版社，2012.4

ISBN 978－7－5074－2565－9

Ⅰ.①这… Ⅱ.①范… Ⅲ.①社会生活－美国－青年
读物 Ⅳ.①D771.28－49

中国版本图书馆 CIP 数据核字（2012）第 044155 号

责 任 编 辑	张惠平
封 面 设 计	彩奇风书籍设计
责任技术编辑	张建军
出 版 发 行	中国城市出版社
地 址	北京市西城区广安门南街甲 30 号（邮编：100053）
网 址	www.citypress.cn
发 行 部 电 话	(010)63454857　63289949
发 行 部 传 真	(010)63421417　63400635
总 编 室 电 话	(010)68171928
总 编 室 信 箱	citypress@sina.com
经 销	新华书店
印 刷	北京建泰印刷有限公司
字 数	244 千字　印张 16.5
开 本	710×1000（毫米）　1/16
版 次	2012 年 4 月第 1 版
印 次	2012 年 4 月第 1 次印刷
定 价	32.00 元

自序

细节之处见民主

那是 2004 年底，我在凯迪社区的《猫眼看人》栏目上写了几篇关于美国生活的文章，挺受网友的欢迎，于是，我就以"活在美国"为主题写了下来。怎么也没有想到，这一写，竟然一直写到了今天，6 年多写了将近 6 百多篇随笔，还拍了上万张照片。

我也没想到，2006 年，我的第一本关于美国的书——《活在美国》在中国出版了。三年后，《活在美国》的续集——《细节中的文明——寻找美国的灵魂》也出版了，现在这一本，已经是第三本了。

这一本是接着前两本写的，写的还是我亲身经历的日常生活，大都是一些小事，身边事，朋友曾经称其为"细节启蒙"。过奖了。不过，从这些细节中，读者往往更能真实地了解美国生活。

民主是一种生活方式。

公民的第一个要义，就是充分地享受法律规定的各种自由。美国总统罗斯福曾把它们概括为"四大自由"：言论自由、信仰自由、免于匮乏的自由和免

于恐惧的自由

正是以言论自由和信仰自由为核心的自由，构成了公民日常生活的基石。没有一个自由的社会环境，公民生活不过是画饼而已。

总之一句话：民主如果不表现在日常生活中，它就不是民主的生活。

民主的核心是保障人的尊严，独立的个人所具有的不可剥夺的尊严。

一个公民的生活，离不开衣食住行、接人待物、八小时内外、上班下班。但在这其中，却可以处处渗透出一个信息：人的尊严。

这尊严体现在他的权利上。言论自由，信仰自由，就是这权利的根基。

总之一句话：没有人权就没有民主。

这尊严来自哪里？是爱！

肯尼迪说过："我亲爱的美国人，不要问你的国家能为你做什么，问你能为你的国家做什么。我亲爱的世界人民，不要问美国能为你做什么，问我们大家能为人类的自由做什么。"

在爱中服务自己的社区、周围的邻居和那些需要自己帮助的人们，这就是一个美国公民对社会应尽的基本义务。

民主要从小抓起，这是非常重要的一个环节。教育，就是要培养公民。

这一些，都是道理，在日常生活中，它表现出来的色彩，万万千千。

范学德

2012 年 2 月

于芝加哥远郊，绿橡树镇

目录

自序

第二季

第三季

第四季

第一季

本季故事，都发生在春天。当人意识到自己的权利并为此而战时，民主之春就来临了。

给孩子们一个伟大的机会

昨天晚上外面黑乎乎的，中学室内体育馆却灯光明亮。我和六七十个美国人一起，坐在看台上，观看爵士乐演奏会。演出者是中学的爵士乐队，一共 38 人，都是七、八年级的中学生。

从上四年级开始，小学生就可以加入各种乐队了。没什么条件，随便参加，你喜欢什么乐器就学什么乐器。但乐器得自己买，或者租。一般买一个乐器，至少得花一千多美元。租一个月，二三十美元。

由四年级组成的交响乐队叫初级乐队，人最多。我儿子上初级乐队时，整个乐队一百多人，全年级百分之八十多的学生都参加了。他们的演奏最可爱，一坐下，好多学生就急忙用目光寻找看台上的父母，然后一个劲地挥手，父母也一个劲地挥，有的还给个飞吻。不过，过了一两年，他们就禁止家长向他们挥手了，难为情。初级乐队演奏时，不一会儿，就有一两位吹走调了，全场笑，他们自己也笑，有时还弄个鬼脸。

到五年级时，初级乐队一下子就减少了一半，留下来的，大都是对乐器有点兴趣的学生，他们组成了中级乐队。尔后，爵士乐队。再以后，从六年级开始，负责乐队的老师会在爵士乐队选几位演奏出色的，组成小型爵士乐队。我儿子现在同时在爵士乐队和小型爵士乐队，吹黑管和弹钢琴。他们的小型爵士乐队一共有六人，两女四男。一个吹黑管，两个吹萨克斯；剩下的，弹钢琴，弹吉他，打架子鼓。

爵士乐队每天早上练习。我儿子一般早上 6 点 30 分起床，洗澡，吃饭，7 点 20 分赶到学校。在正式上课前，和乐队其他成员一起来到音乐大教室，在老师的指导下练习四十多分钟。

每一个学期中，乐队都有几次表演，看孩子们的表演，就成了美国学生家长的夜生活。当然了，学校还有其他的俱乐部，像球队啊，橄榄球队啊，他们比赛时，家长也要来捧场，更准确地说，是开心。

这次爵士乐队演奏前，校长突然要来讲几句话。原来，为学校是否应该增加预算，我们镇上要举行公民投票，因为这笔钱要落到每一家的房地产税上，如果预算通过，一年一家会多交一百多元。校长没有说请大家来投票，赞同预算。他只说了几句话，看，我们学校有这么多的活动，给孩子们一个伟大的机会，发展他们的才能。看看，这些孩子们的演出多么了不起，难道你不这样认为吗？

我们周围的几个人笑了，点头。点头，意味着掏钱。但这钱绝对值得，因为它能够形成一种客观的条件，给孩子们一个伟大的机会发展他们的才能。

当然，这样的事情不是个人能说了算的，需要全镇的每一个公民投票。估计从这个星期开始，许多人家的门口就会竖立一个小牌子了，请投赞同票。反对的牌子，估计不会像选举时竖得那么多，因为这直接关系到每一个有学生家庭的利益。而人们之所以到这个区买房子，校区好、教育质量高就是最重要的原因之一。

先不管镇里什么时候投票，还是看孩子们的表演。

一开始爵士乐队演奏了两个曲子。在演奏过程中，时而会有一个乐队成员站起来独奏。这时，指挥的老师就来到他（她）前面，让话筒对准了乐器，使全场都能听清楚这一乐器的声音。当这个学生坐下时，老师马上面朝家长们，大声地说出学生的名字，并用一只手指着学生说，请为他（她）鼓掌。而有的家长，一看到是自己的孩子独奏，还没等孩子坐下，就带头鼓掌了。

6 个人组成的小型爵士乐队接着演奏了两首曲子，其中一首的名字是《有些事情很可爱》(Something cute)，作曲者都是 Lee Morgan。小型爵士乐队的演奏大都是独奏。首先独奏的是黑管，接着是两个萨克斯，然后是钢琴。每一个独奏结束时，老师不但示意全场为之鼓掌，还加上几个简短的评论：非常了不起！如此美好！十分杰出！

接下来，爵士乐队又演奏了三支曲子，前后有 9 个乐手站起来独奏。这些独奏的乐手，没有一个是刚才小型爵士乐队的成员。

后来我算了一下，整个乐队（包括小型爵士乐队）的 38 个乐手中，前后共有 18 个乐手站起来独奏，尽管爵士乐队乐手的独奏时间很短。

整个爵士乐演奏会一共进行了 45 分钟。结束时，学生们把大乐器送回音乐教室，而家长们有的聚到一起说说话，有的帮助把孩子们刚才坐过的椅子收集到一起。

我帮着收了几张椅子，然后，走到一个小伙子前面说："亚当，你演奏得很棒！"

他开心地笑了，大声说："谢谢你！谢谢你！"

亚当是我儿子的好朋友，从小学一年级就认识，他父母已经离婚。今晚，他也站起来独奏了一会儿，我使劲给他拍巴掌。

2005 年 3 月 9 日上午十时半

【网友评论】

美国的孩子从小就有独立自主的权利和强烈的社会责任心，也有明显的自信心。而中国的孩子似乎已经被剥夺了许多权利，什么事情父母都包干，子女没有任何实际锻炼，走向社会很容易误入歧途。且国内一些孩子从小就没有被灌输道德素质的基本教育，致使许多未成年人走上违法犯罪的道路。因此有学者感叹："告诉我们的孩子随地吐痰的弊处远比学会做几道应用题重要得多。"

——新羽天涯

呵呵，爱看你的大多数帖子，范先生用心良苦，多多受累了。

——ren111

自由可以在日常里体现。

——曼斯泰因

对个性的培养，对个性的尊重，使美国出了那么多世界顶尖级的人才。

——黄恩浩荡

就是 For Fun 啊

星期四一大早，刚到5点，儿子就起床了，我也起来，下楼给他张罗早饭。打开了窗帘，外面雾气挺大，一条条的薄雾，在绿树间、青草地上，飘过来，散过去。

他们这些八年级的学生再有半个多月就要中学毕业了。毕业前有一个传统的活动，到林肯的故乡——春野县（Springfield，又译为春田县）游览，并在外面过两夜。春野县是伊利诺伊州的首府。

要出门了，儿子说："爸，给我点零花钱吧。"我给了他两张20元的美金。他说，20元就够了。我逗他："别客气，您先拿着花。"

5点35分，我们开车到了学校的停车场。

"爸，我们早了10分钟。45准时到就可以了。"

我说："你看，有的同学已经到了。"

一辆长途旅游车已经停在那，还有两辆没有来。在旅游车旁边，两位校长身穿西装，正热情地跟每一个学生和家长打招呼。

这次活动共有一百二十来名学生参加。后来儿子告诉我，有的不想来，就不来了。我问他，学校没要求都去吗？他说，我不知道。

妻子后来说，忘记给他带手机了！结果，一去两天，一点消息也没有。儿子回来后，我问他："你怎么没带手机？"他说："忘了。"

我明白了，这是有意遗忘。

他临走前就告诉我："爸，星期五晚上6点钟准时到停车场接我。"

我说："没问题。"

他说："你知道吗，去年也是这样，有个学生的母亲7点钟才来，来了后说到超级市场买东西耽误时间了。那个学生脸红得要命，老师一直陪他等着。看学生很难过，老师也就什么都不说了。爸，你可别晚了。"

我提前15分钟赶到了停车场，正好，他们的车刚刚到。

"爸爸，谢谢你来得这么早。"儿子一上车就说。然后又说："我给你买了礼物。"

给我？我大吃一惊："是什么？"

"你猜，你最喜欢的。"

不可能是书，不是树，也不是花，那是什么呢？猜到第三次，我说："是石头？"

他说："对了一半，还有一半。"那一半是什么，我怎么也猜不上来了。他说："那你就等着吧，和妈妈、妹妹一起看。"

"你给她们买的是什么？"

"戒指。"

"啊？"

"可便宜了，5元钱两个。"

回家后先看礼物。原来，我的礼物是做成小石头形状的巧克力糖。儿子知道我喜欢巧克力。妈妈和妹妹看到礼物都大叫。妹妹还上前抱了哥哥一下说："哥哥谢谢你，我爱你。"

晚饭的时候，儿子讲述了他们的活动。他们坐了4个多小时的车，当天晚上住在旅馆，4个人一个房间，睡得挺早。晚饭是到乡村自助餐厅吃的，他吃了3盘东西：一盘沙拉、一盘肉和鱼，还有一盘水果。

我问："你吃冰淇淋了吗？"

他说："没有。"

他说："爸，你记得吗？林肯墓上那行字，'Now he belongs to the ages'，你把它翻译成'现在，他属于时代了'。其实，那么翻译不对。那个 age 是加了 s 的，ages 中文没有办法翻。"

我妻子说，那就是指时代、历史，表明林肯死了，属于历史了。儿子说，不，它还指离开肉体了，离开这个物质世界了。

儿子说："我们还参观了林肯纪念馆。酷！"

"怎么酷了？"妹妹问。

"我们坐在椅子上，看那里介绍南北战争。大炮一响，我们的椅子马上就晃动了，脚底下还冒出了烟雾，跟真的一样。有人吓得大叫。你们知道谁最能叫，女生。表演林肯最后看剧那场，我们都坐在包厢里，砰地一声，那个刺客打中了林肯，吓得女生大声尖叫。跟真的一样，真酷。"

"爸，我这次也看到了韩战和越战的纪念碑。挺悲伤的，你知道，越战纪念碑刻了每一个牺牲战士的名字。在一排名字下面，有人放了一个小照片，上面写着，我们想念你。韩战纪念碑旁边种了 300 棵树，是韩国的国树。"

"噢，这我上次倒没有注意到。"

他们回程时去了芝加哥，去了西尔斯高楼。又参观了联邦储备局的一个博物馆。"你们知道他们在这里每天要储备多少美金的现金吗？"儿子激动地告诉我们，"100 亿！不过，你一分钱也不敢动，摄像机都在照着。他们把用坏的美元收回来，弄碎了。你看，这是纪念品，就这么一个小袋子，装着 364 美金。不过，都绞碎了。"

儿子还与母亲和妹妹说了他们参观国际贸易大厦的事。那时我忙着做饭，没听清楚，光听他几次说，酷！酷！

"昨天晚上，我们去了一家大饭店。"

"你穿西装了？"我问儿子。

"嗯。"儿子出发前，特意说要带西装、领带，说他们有一个正式的晚餐。

"别的同学也穿了？"我问。

"都穿了，老爸，这是正式的晚餐。"

我跟妻子说："真不错啊，学校肯出这么多钱给孩子长见识。"

妻子看了我一眼，说："你做梦吧。我们自己交的钱，300 元。"

啊！我才知道。

我问儿子："老师没给你们讲点什么？"

"没。就让我们看，玩。"

"那你们这次活动的目的是什么？"

"什么啊？"儿子不解。

"目的。"

"就是 For Fun 啊。"

For Fun？怎么翻译？开心、欢乐、有趣、好玩、痛快？可能都包含在内。仅仅是为了 Fun，那为什么参观林肯纪念馆、参观韩战和越战的纪念碑？其实，至少有一个目的，就是让这些即将毕业的初中生实际地体验到，自由从来就不是免费的。争取自由，享受自由，公民都要为此付出代价，甚至包括自己的生命。

2006 年 5 月 12 日

【网友评论】

看看人家国家的孩子，再看看咱们的孩子累的，怪不得能跑得动的都往外跑。

我是一个教书匠，对此感到汗颜，但又有什么法呢？就是在猪圈里了也得生存啊！

这是为人子、为人父、为人师的几点感受：

《长相思》

其一

金雀笼，银雀笼，笼中鸟雀空哀鸣。有翅难腾空。

山青青，水清清，穿山渡水何轻盈？依稀在梦中。

其二

小学生，中学生，上学路上行色匆。父母期待中。

星胧明，月胧明，星光月下读书声。几多苦乐生。

其三

才周三，盼周六，儿子休息回家住。恐将行程误。

逢佳节，老父母，一日几次伫村口。思儿盼孙苦。

——无病呻吟

通过这次参观，老范的儿子小范深深懂得了今天的幸福日子来之不易，是林肯等革命先烈抛头颅、洒热血换来的，更加增强了小范的爱国主义热情，虽然林肯被反对派杀害，但他的精神永远活在人民心中。小范表示以后要努力学习，学好本领，做好接班人。

——iuzhou

前几天，中国少年足球队在 U17 年龄组的比赛中以 2:1 战胜了日本队。媒体报道，赛前，领队带着全体队员连夜观看了抗日影片《血战台儿庄》。看完电影，小队员们热血沸腾，下定决心要拿下日本队。比赛中连进两球的小队员被称为抗日小英雄。赛后在接受采访时对记者说："看完《血战台儿庄》后，我就有一种感觉，那就是痛恨日本鬼子。所以，我一上场，就把他们当日本小鬼子来打。"

比赛中当国少队形势严峻时，场外的领队这样提醒队员："想想昨晚的电影，想想《血战台儿庄》的情节！"

——王小三

一个高中生的紧张周末

我早年的职业，与教育相关，对美国的教育，自然也很关注。但时间长了，关于中外教育的认识，我却转了一个大弯，现在的认识与早先的认识已截然不同。

在早先，我和许多同行一样，把中外教育的差别，主要归于教育方式的差别。认为美国等先进国家的教育，是开放式的、启发式的、注重人性、人格、创造性、独立性和实际能力的教育。认为中国应该向西方先进国家学习这种教育方式。

几十年过去了，中国的教育，并没有向西方先进国家学习多少，学了一些，也只是些形式和皮毛。我也曾着急过，气愤过，但后来就想通了，这根本就不是个学不学和学多少的问题，而是个学了也根本没有用的问题。

我现在已经非常清楚，教育的问题，教育方式是个很次要的问题。也就是说，多种不同的教育方式，都可以教育出非常合格的人才。中国旧时的私塾，可以教育出完全合格的官员；恐怖分子利用教堂，也能教育出视死如归的人肉炸弹。

周末两天，我儿子一篇作业也没有做，够刺激的吧。

昨晚下了点小雪，到早上就停了。10点多一点，我开车载儿子到芝加哥北边，参加比赛，看从电脑上打出来的地图，得开40分钟，离我们家三十多英里。今天，是伊利诺伊州举行的高中生独奏（包括独唱）和合奏比赛。比赛从早上8点开始，我儿子参加的第一场比赛11点开始，地点是Richmond-BurtonHighSchool。后来我知道，这是分片的比赛，参赛的主要是芝加哥北部的23所高中的学生。

我儿子参加了巴松管的独奏与合奏比赛。他上中学时，学的是黑管，上高中乐队两个星期后，改学巴松管了。问他为什么，他说，吹黑管的十多人，太多了。巴松管的呢？才一个，加我两个。他还告诉我一个秘密，说：爸，我这可是要为你省钱啊。怎么讲？儿子答，我研究了，吹巴松管吹好了，上大学容易得到奖学金。

后来，他自己请了一个教练，每周教他一次，钱，他自己付，20 分钟，20 美金。在车上我问，老师什么时候教你啊？星期三早上。专门教你？还有别人。我们学校几个吹巴松管的，都是他教的，教完这个，再教下一个。

车进入 Richmond 镇，一指示牌立在路边，镇内人口，1100 百人。儿子说，爸，他们镇好小吆，还没有我们高中的人多，我们高中有两千来个学生。

到了学校，停车。他们的停车位是编号的，367，368，我读。儿子说，爸，你干什么啊？查查有多少停车位。好家伙，387 个，比你们学校多多了。

过道上，许多高中生和大人来来回回的。儿子说，他看到了二十多个他们学校乐队的同学。

准备室由体育馆临时改成。拉大提琴、小提琴的，吹黑管、长笛、短笛、小号、大号的，唱歌、吊嗓子的，全有。儿子准备了一会儿后，说：爸，我们走吧。乐器盒要带吗？不用了，就留在这里吧，羽绒衣也放在这里。我刚要把两件羽绒衣放在他刚刚坐过的椅子上，他说，爸，就扔在地上吧，一会儿，也许别人会用这把椅子。我有点不好意思。

扔下衣服和乐器盒，我们到了 119 号教室的门口。里面，两个女生正在吹黑管。与我儿子合奏巴松管的，是一个女孩，看样子是韩国人。她母亲站在旁边。彼此打招呼。11 点 10 分，他们两人进去，我和女孩的母亲也进去了。评审，只有一人。他告诉两个高中生，别紧张，你们先调一下音。合奏不到十分钟。结束后，我们鼓掌。评审也鼓掌，问，你们是兄妹吗？不是。那你们怎么配合得那么好。两个高中生同声说，谢谢。

出校门前，问一服务人员，哪里有饭店？他仔细告诉我们了。但我车开得快了一点，还是错过了。索性，开到小镇中心。小镇中心不过三百米，被一条街道分开，那街的名字就叫主要街道。两边有一些铺子，很小，也挺简单。

车调头，找到那家饭店，是家庭饭店。说最多能够容纳一百人。儿子说，在芝加哥郊区，爸，你几乎看不到家庭饭店。我说，但我喜欢这里，挺温馨的。问服务员，能不能推荐一下你们这里的招牌菜？她茫然了。儿子后来告诉我，这里不像芝加哥，饭店多，人们很少老去一家饭店，所以，必须有招牌菜。这里，老顾客多，这次吃这样，下次吃那样。

我点了一个三明治，味道极棒。告诉服务员，你们这里的三明治太好吃了，她说谢谢，开心地笑了。儿子问我注意到了歌曲没有？饭店里播送着歌，声音挺小。我说，没有。儿子说，老歌了。几十年代的？我问。三年前的。那个歌手唱的歌三年前很流行，现在，没人听了，太老了。啊！

饭后，查儿子高中的参赛名单，183人。儿子说，有些合奏的，好几个人的，名字没有全部列出来。天哪，你们高中将近十分之一的学生参加了这次比赛。是啊，我们学校的音乐很棒。

又到了参赛准备大厅，儿子发现乐器有点毛病，他出去一会儿后，回来了。修好了吗？修好了，有一个老师在这里，专门帮助修理各种乐器，不要钱。

离开准备大厅，发现上午比赛的成绩已经出来了。23所高中参赛学生的名字一一列在上面。我儿子他们的合奏，获得一等奖。

下午1点50九分，我儿子在112房间参加巴松管独奏比赛，也是他一个人，也是一个评审。结束后，评审问："你学多长时间了？""半年。""很不错。"

两个比赛结束，我喘了一口气，看看表，说：儿子，你回到家里可以歇半个小时，然后，我载你参加下一个比赛，时间，从4点到6点。这是他们高中举行的网球选拔赛，要选出两个校队来，我知道，这个比赛才是真正残酷的。

这，留待下一个故事吧。

2007年3月2日

【网友评论】

借范兄的旺帖，说两句对教育的看法，也感谢范兄对同胞的无限关爱。

——活久了就知道

当一个国家把"义务教育"做成产业的时候，这个国家的希望就被掐死了！

——旷野孤狼

学生们公开地"侮辱"老师

刚刚回到家，想起来刚才看到的一幕幕，还很兴奋，赶快记录下来。

今晚高中的乐队又一次演出。看这样的演出和比赛，已经成了日常生活中的一部分，看过许多次了。一开始没什么特别的感觉，听完一首美好的乐曲，跟大家一起鼓掌，心情愉悦。我觉得生活就应该是这样，虽然有许多不美好的事情，但还是能够欣赏到真善美，于是，也就可以忍受苦难和黑暗了。

其实，今天下午学校就打来电话通知，又有人在学校厕所中留下文字，要用炸弹炸毁学校。警察将要到学校检查。生活中总有不如意的地方，在哪里都一样。尽管发生了这样的事情，但晚上的演出照旧举行。

第一组演出的是高一乐队。他们一上场，我就用目光搜索我儿子，他吹巴松管，只有他一个人吹这种乐器，很容易找到目标。高一乐队演奏了两个曲子后，老师微笑着拿着一摞奖牌上来了。接着，宣布高一乐队的优秀演奏者名单。我精神了，会有我儿子吗？第一个，没有。第二个，也没有。第三个，音乐指挥老师说到了我儿子的名字，并说，今年，高一乐队没有人吹巴松管，我就同他商量，是否可以换成吹巴松管。他答应了：要是我这样换，也不可能像他这样在这么短的时间吹得这么好。我笑了，这老师挺会表扬的。

一共有 5 名同学得奖。

接下来，交响乐队、小管弦乐器队、大管弦乐器队，分别演奏。每一组演奏结束以后，都发奖。看着一个又一个学生领奖，把奖牌拿到手，开心地笑着，我突然想起一件事，美国人真舍得给奖。记得儿子刚上幼儿园不久，就拿回一个小奖牌，奖励的理由是什么，忘记了，就记得那个奖牌，红带子，挂了个金黄色的小圆牌。儿子有一阵子，把那个牌牌当成了宝贝。后来见识多了才知道，原来美国学校中有许许多多的活动，有许许多多的奖励，比如踢足球啊、游泳啊、唱歌啊、跳舞啊、社会服务啊，都颁奖。而且，一奖励，就给个纪念品，或者是牌子，或者是杯子。钱，也有，但不多见。所以，到美国人的家中，经常会看到一大堆奖牌奖杯，有的是从幼儿园就积累起来的。

一个学生，即使他在某一方面，比如学习可能不优秀；但他可以在另外一个方面表现杰出，比如体育，比如音乐，比如社会服务。这样，他的才能就会得到发挥，而他的努力也可以得到鼓励。

在最后一组的奖励开始前，三个高中毕业生站起来了，他们要给音乐老师颁奖。第一个奖是给女老师的鲜花，还有一个彩色的带子，袋子里面装了什么，不知道。第二个音乐老师站到了前面，准备接受奖品，也是鲜花和彩色的袋子，他以为完了，刚要转身，一个坐在演出席最后一排中间的男生站起来，大喊，"还有！"老师一转身，学生突然扔过一件东西，老师一把抓住，一抖擞，天哪，原来是一条内裤！我大惊，要是我们当年给老师这个礼物，肯定按侮辱老师治罪了。哪曾想，音乐老师哈哈大笑，连声谢谢，而全场也都笑翻了。

那条白色蓝边的内裤上，竟然签上了许多学生的名字。

最后，他们给乐队总指挥赠送奖品——一把椅子，说老师老了，以后练习的时候，坐在椅子上指挥吧。最后是一个挂历，封面是老师的头像，突出了老师的满头白发。他们接着翻开一页又一页，页页都是老师（包括和学生在一起）

的画面，加上老师的一段名言，比如，有一句话说，"你们今天弄砸了，不过，比昨天还好点。"

最后，一个接一个，老师分别地叫起了 41 个名字（他们的名字都印在今天的节目单子上），他们是乐队中今年要毕业的高四学生，叫到一个学生的名字，这个学生就从椅子上站起来，并把一顶自制的帽子戴到头上。41 个人，41 种不同的帽子，有的是礼帽，有的是一个花盆，有的是一支红色的大鸟，有的是在纸袋上捅出三个洞，还有一个像雨伞。最后一个戴上的帽子，金色的，形状好像京剧林冲被逼上梁山时戴的那顶帽子，特神气。我看了又惊又喜，感叹，他们的花样可真多。

每一个学生的名字都是值得尊重的，这就是对公民的尊重。而公民，首先是并且也一直是，作为一个独立的个体而存在于社会之中的。

2007 年 5 月 2 日深夜 11:15

【网友评论】

平等观念在每个美国人的心里。

——最后的冷杉

最后的冷杉：制度的保护更重要，二者互相配合。

——范学德

教育方式决定了国家前途。

——Weapon007

美国学生比较幽默。

——十万铁骑铁蹄

初识志愿者

我是 1991 年秋天到美国后才第一次听到志愿者这个名词，以前只知道志愿军，抗美援朝的志愿军。那时，我到县里办的社区大学补习英文。美国的许多社区大学（由所在县负责办学）都为新移民开了一个教育项目，课程的名字叫做"英语作为第二语言"（ESL），一般开三个班次：初级班、中级班和高级班。在我们县的这个社区大学，这个课程对于居住在本县的所有居民都是免费的。一般每周上两次课，一次两三个小时。

我先到学校图书馆考试，考完了被分到中级班。过了一个学期，上了高级班。新学期开学不久，我的英语老师苏珊就建议我找一个美国人练习对话。她告诉我，有些美国人志愿教外国人英语，不需要任何费用，学校办公室有他们的名单。

苏珊领我到了办公室，并同具体负责这项工作的职员仔细地介绍了我的情况。这样，我很快就找到了一个志愿者。她是一个中年女性，祖籍波兰，人很漂亮。我们一周后见面，约定了练习英语会话的时间，每周一次，每次一两个小时。她说，到她家不大方便，我们在学校吧。这样，每到周三或者周四的下午，我就到学校等她，她开车来到学校后，我们就一起用英语聊天。聊完后，各自开车回家.

这个学期的下半期，有一天，另一位教我英语的老师劳拉对我说："范，走，我给你介绍一个朋友，他也是学哲学的，同时在我们学校里代课。告诉你吧，他还是一个基督徒呢，你不是愿意讨论宗教问题吗？你们争论吧。"

劳拉介绍给我的这个朋友名叫博若德，二十七八岁左右的白人小伙子，一米七五上下。我们在学校图书馆见了面。劳拉说："博若德，范刚从中国来，需要改进英语，你能够帮助他一下吗？"

博若德很爽快地说："没问题。然后就对我说，范，让我们谈谈，我可以为你做些什么。"

我说："我要练习一下口语和了解点美国文化。"

"好，"博若德笑着说，"在什么地方？什么时候？"

我说："能不能到我家？"

他回答："可以。"

"那让我们安排一下时间表，看什么时间对我们两人最适当。"

正巧，过了不久，原来与我对话的那个女性说她要去度假。于是，我就取消了原来的安排。她把电话号码留给了我，说我需要的时候，可以随时找她。

以后，博若德就成了帮助我英语的志愿者，他经常来我家帮我练习口语。过了一段时间后，我问他："你是学哲学的，难道真的相信耶稣？"

他说："是的。"

我说："那我问你一个问题，你要告诉我实话。"

博若德说："没有问题。"

我说："你现在还是单身，对吧？"

他说："当然。"

我问："那你跟女孩子上过床没有？"

他说："没有，从来没有。"

我问："是因为你相信上帝的原因吗？"

他回答："是的。"

我说："好吧，不管怎么样，我很佩服你的真诚。你以后可以同我讨论信仰问题了。"

从那以后，在与博若德的英语会话中，信仰，就成了一个主题，可他虽然同我讨论了两年多，但却从来没有劝我信教。正是在他的影响下，我看了那两本书：《约翰福音》和《罗马书》。他告诉我，这两本书影响了整个西方文明，并且，至今还在影响许多的普通美国人。我听到后感觉很不好意思，因为到那时为止，我对这两本书一无所知。

1995 年年初，我信了耶稣。我立即把这个消息当面告诉了博若德，他一听，完全愣住了，无法置信，大声地问我："真的？"

我严肃地点头："是的。"

"哦，太奇妙了，太奇妙了。"博若德说着说着流泪了，他第一次用美国人的礼节，紧紧地拥抱了我，"感谢主。感谢主。"

在这个世界上，我第一次看到一个白人为我流泪。接下来，他告诉我一个更令我震惊的消息，他说："我亲爱的兄弟，自从我第一次接触到你之后，我就为你祷告。后来，我常常和我妻子在一起，跪在地上为你祷告。"

我惊住了，怎么也不敢相信。

在我信主后不久，我的一个朋友找到了我。她来自大陆，女性，四十多岁，在一家美国公司找到了一份工作，但在英文上遇到了很大的困难。她说："学德，你能不能找一个美国人帮帮我的忙，教我英语。这可能需要花费他很多时间。你知道，我在工作中很需要英语。"

我告诉她，我可以找博若德的母亲说说，她不工作，有时间。

这个朋友说："学德，你也知道，我不会信教了。我不知道这会不会令她失望。"

我说："不会吧。这只是一种社会服务。她是自愿地为社会、为他人服务的。"

我把朋友的要求跟博若德的母亲说了。她很爽朗地答应了，说："感谢上帝给我这样一个好机会，可以为你们中国人服务。只是我没有教过书，不知道能不能做好。"

就这样，我的朋友开始到博若德母亲的家中去学习英文，一晃，几年就过去了。

2003 年 3 月 10 日中午

"文化侵略"的经费是怎么来的

我前几天病了一场，还没好利索，就赶上了两个孩子放春假。于是，索性躺在沙发上和他们一起看韩国连续剧《爱上女主播》，看了一整天。

傍晚5点40分，开车外出时我才发现，不知什么时候下过了一场雨，停车道上的水珠滚来滚去的，路旁的沟里也流出了一条带着水声的小溪。刚下班回来的妻子坐在车中问我们："你们刚才看到彩虹了吗？是双彩虹！"

"哪里？哪里？"两个孩子和我都急忙地问，急忙地找．

隔着车窗，儿子最先看到了，说："在那儿！在那儿！"

女儿也喊："对，在那儿！"

等到我也看清楚时，车已经开上了大路。

正前方，两条宽宽的彩虹横跨东方，相距似乎不到两三米，仿佛是一条巨大的拱桥，天之桥。外面的一条，七彩略微淡一点，但颜色分明；里面的一条，赤橙黄绿青蓝紫，色中带光，光在七彩中流淌。一时间，我竟以为自己是向天国开去。车后窗，一条条明亮的光仿佛金蛇乱舞，从倒后镜中一看，西方，一轮圆日，火一般地红。

今天晚上，我们教会举行宣教会议。6点钟开始。

大家先在教堂的地下室吃晚饭，便饭，三明治，还有水和茶。来了四五十人，说中文与说英文的，大概一半对一半。说英文的，主要是年轻人，20岁上下。还有几个小孩子跟着父母也来了。他们的父母在楼上开会时，就把这些小小孩留给大小孩照看着。我儿子和另外两个12岁的女孩一起，负责这件事。

我吃了一块三明治后，赶到朋友家办点急事。回来时已经是7点半多了，第一个介绍情况的兄弟，已经到尾声了。接着讲的是一对年轻夫妇，夫妻都是医生，他们组织了一支短期宣教队，有十来个高中生参加，准备在今年五月到新墨西哥州去，和当地印地安人的教会一起合作，传福音，为社区服务。

他们先放了十多分钟前年去墨西哥宣教的录像。然后，女医生说，为了组织这次行程，他们已经搞了几次募捐。其中一项就是做小饼干义卖。我记得很清楚，一块钱四个，你买了，签名，由他们分发给你要送的朋友。我们家好像买了20元钱的饼干送给朋友。也接到了一些朋友送给我们的饼干，吃了好几天。她先生补充："我们去不仅是帮助别人，而首先是帮助我们自己。我们年轻人应该明白，生活在美国，并不是每一个地方都像我们芝加哥北郊一样富裕。"

一个小女孩上来介绍参加这种活动的益处。她说她叫爱丽丝，15岁，正在斯蒂文森上高中。我知道，那是一所能在全美排上名次的高中。她说："我出生在中国，父母在我很小的时候就分开了，我大部分时间都与父亲一同生活。8岁时，我们搬到了加拿大，11岁前后，一个老伯伯来教我们圣经，每星期四晚上一次。但那时的我，有许多非常坏的毛病，很傲慢，脾气很不好，很爱生气。但最坏的是，除了自己之外，我不关心任何人。"

后来，他们家搬到了美国的德州，她父亲再婚了，继母是基督徒。女孩讲到继母时用了两个形容词："非常善良"、"有耐心"。从此，她的新生命开始了。她开始懂得了基督徒之爱是多么有力量。上帝教导她关心别人有多么重要，而让别人知道你是被人所爱的这又多么美好。所以，她渴望参加这次到新墨西哥州的短期宣教活动，与当地人分享上帝带给她的喜乐和善良以及有意义的生活，并希望他们也能够得到这一切。最后，她盼望大家为她祷告。

　　下一个上台的小伙子个子不高，他说他今年 17 岁，夏天就高中毕业了。他上的就是我们镇的高中，他还是高中上百人的交响乐队中的首席黑管演奏手。他的父母来自台湾，家原来住在凤凰城，4 年前搬到了芝加哥。他说，他一开始很生气，很痛苦，原来的教会很大，这里很小，没有朋友。但后来他发现，小教会使他有更多的机会发展人以及教会的关系。他的父母也一直为他祷告，愿他受到很好的教育，并找到一个强健的灵性之家。他自己则盼望通过这次宣教旅行加深自己与上帝的关系，并在一个团队中为上帝服务，为他人服务。

　　今年夏天，教会还有一组人要到日本宣教，为期两个半星期，地点是日本北海道的一个小城。这些人准备通过运动会、烹调班和教英文等渠道，来跟日本人分享福音。介绍这次旅行的是一位 30 岁上下的神学生，新加坡人，妻子是日本人。他说的两个故事吸引了我。四年前当他告诉父亲自己要与一个日本人结婚时，曾经担心父亲不同意，因为爷爷就是被日本人害死的。但他没想到父亲竟同意了。

　　这位神学生还说，许多日本人直到今天还把基督教看成是西方宗教，还认为信耶稣基督就是不爱国，背叛了民族传统。他讲完后，又放了十来分钟关于日本的录像。

　　这次的日本之行，每个人所需要的费用大约 2500 美元。

　　不知道为什么，这次会议没有直接捐款这一项，而是鼓励大家，如果谁支持这些宣教活动，请将支票写给教会，但在支票下角注明是给某某短期宣教队的。

　　本来没有打算写这篇文章。但会议进行中我突然想到，以往，美国向许多国家派出传教士，他们的经费，正是这样筹集的。传教士们去一个又一个教会，一次次介绍自己为什么要去中国，到中国做了什么。而那些为之而感动的兄弟姐妹们，则用自己的金钱和祷告来支持他们。于是，回到家里后，我赶快就把这一幕记录下来，供有心人了解所谓的"文化侵略"的经费到底是怎么来的。

2003 年 5 月 31 日凌晨 1 点

【网友评论】

是啊，我们有对一切善举的怀疑。明天我女儿学校组织扫墓，她说老师讲要为解放战争中的革命烈士默哀三分钟。女儿问："为什么要这样？"我不知该说些什么好。说这些革命烈士为我们打下了江山？救我们出了水深火热？这几年教育方面是有些变化，但关键之处还是不会放松的。

——王小三

我基本是个无神论者，不过20年前就买了本《圣经》，那时候主流教育还是我脑子里的主体，读《圣经》主要是好奇，当小说来看了。现在心里好像模模糊糊地对宗教有点向往，但又懒得多想。

——鹅山散人

这个范神汉滑稽得可以，自己做了牧师，却批判什么"文化侵略"，就像红灯区小姐批判卖淫一样。

——8个代表

我跪在了儿子的床前

好像就是昨天的事情，我至今还记得，儿子才生下来的时候，夜里睡觉不踏实，睡一会儿就醒，醒了就哭。他一哭，我就抱着他，站着还不行，还得动。于是，我就在客厅与走廊之间绕圈，边走边说："好儿子，别哭啦。好儿子别哭啦……"

不说的时候，就一边轻轻地晃动他，一边数数：1、2、3……数下来，沿着墙壁绕一圈，得72步或者73步，当然了，是小步。而现在，我已经跑不过他了。

昨天，他，一个13岁的少年，受洗了，他的一个好朋友听说他要受洗，还和他一起受洗啦。

有一次，我们全家到一个水上游乐园玩，我跟十三岁的儿子泡了一会儿日式澡后，坐在池子边就聊起来了，聊了半个多钟头。聊着聊着，儿子就说："爸，你记不记得，我小时候你吓唬我，说我要是再调皮，你就打我屁股开花。"

我笑了说："记得。"

儿子说："当时把我吓坏了。我寻思，你要是一使劲打，我屁股就会长出花草的小苗，它们长大了，就开花了！屁股开花，吓死人了。"

"哈哈，哈哈。"

大笑过后我反思，是儿子促使我开始了学习如何作父亲。记得那是1995的事，春天还是夏天，我就记不清楚了，大概在我信耶稣不久。那天，3岁的儿子又调皮了，我很生气，大声地喊："羊羊，你干什么！"他听到后，身子吓得冷不丁地颤了一下，头立即垂下来了。

看到他那可怜的样子，我突然非常难过，我仿佛看到了自己小时候的情形，父亲也是这么大声地训我，打我，还不许我哭。我问自己："你为什么会这样？你最恨父亲这样对待你，但你为什么用同样的方式对待自己的儿子？"

那天，我含着眼泪祈求上帝改变我，让我成为一个好父亲，让我学习成为一个好父亲。那是一次决定性的转变，从此我开始学习鼓励孩子。

我开始按照圣经，一点一点地学如何作父亲，也向教会的兄弟们请教为父之道。

不久后，孩子感觉到老爸变化了，他敢跟老爸撒娇了。有一天，我们父子俩玩，我问："羊羊，我们今天玩什么游戏？"他高兴地说："骑大马。"

"什么？"我没有反应过来。

他继续说："爸，我要你给我当马骑马！"

我愣了一下后，高兴地说："好！"我趴在地毯上，让儿子爬上来。说："羊羊，小心点，马开始走了。'"

骑士有点紧张，紧紧地抓住"马"的衣服，过了一会儿，他放松了，高兴地喊："驾！驾！"

也就是在那以后，我发现了孩子一个弱点，比较胆小。怎么办？

我学会了一种新方法，不是直接指责孩子的弱点，而是让孩子看到他在上帝心目中的形象，看到上帝要他成为的形象，用这个新形象，激励并且引导孩子去生活。

我简单给孩子讲了圣经中的一个故事，是摩西的继承人约书亚的故事。当约书亚接摩西的班的时候，摩西一再鼓励他："你要刚强壮胆，作大丈夫。因为你无论往哪里去，上帝都必与你同在。"

我和孩子一起跪在他的床前祷告："主啊，你希望羊羊刚强壮胆，成为大丈夫。求你天天给他力量。"

孩子也跟着我祷告："主啊，我要刚强壮胆，成为大丈夫。"

那天晚上，孩子问了许久，问什么是刚强壮胆，什么是大丈夫。又问："爸，我是小孩，小孩也是大丈夫吗？"

我说："是的。你是。你会是这样的。你一定是这样的，因为上帝希望你这样。"

十多年过去了，我知道，上帝倾听我们父子的真诚祈祷。

对圣经了解多了，儿子有时候也拿它来对付我。有一次，我批评他，语气重了一点，他就说："爸，圣经上说了，大人不要惹小孩子生气。"

"噢，"我说，"对不起，爸爸的态度有点不好。但圣经还说了，小孩子要在主里听从父母，父母要按照主的教训养育小孩子啊。要孝敬父母，是这样吧？"

"嗯，是。爸，我也有错，我们互相饶恕吧。"

有一年，我母亲病重了，我和哥哥的通话让羊羊听到了，他记在了心里。晚上睡觉前，我到他的房间，看他正闭着眼睛，小手握在一起，轻轻地祷告："上帝，请你帮助我奶奶，让她的病早点好……"

他祷告结束后，我进去抱住他，狠狠地亲了他一口，说："羊羊，谢谢你。"

他说："爸爸，别害怕，上帝爱我们，也爱奶奶，对吧？"

中国流行 SARS 那年，有一次，我们小组在我们家里聚会。我儿子那时学钢琴已经四五年了，大家聚会唱歌的时候，大都是由他弹钢琴。那天我问他："羊羊，今晚你选什么歌？"

他说："《给我一颗中国心》。"

"为什么选这首？"

"爸，你看，中国有 SARS 了，我们是中国人，我们得想着中国人，爱中国人啊。"

"那第二首歌呢？"

"《除你以外》。"

"为什么选这首？"

"你看，SARS，现在谁也不知道怎么回事，怎么治它。除了上帝，谁能帮助我们呢？"

那天晚上，我们一开始就唱了那两首歌。

这是我的祷告："神啊，愿你是羊羊心里的力量，是他的福分，直到永远。"

2006 年 4 月 17 日

【网友评论】

天下父亲都是一般心思，呵呵。

——蒙面佐罗

学习成为一个好父亲。没有一个父亲天生就是好父亲。

——斯人独憔悴

家庭教育是教育的一部分，还有社会的教育责任。在学校不能很好承担自身责任的时候，更需要家庭在这方面起作用。至于社会，我们自己能做多少就做多少吧。感谢楼主的积极示范，通过鼓励，激发孩子的潜能。

——狐狸头

差异，从孩童时便已经开始了。幸亏还不晚，我们还来得及。

——傲慢的堕落

父母的确是孩子的老师和榜样。无论用什么教育方式，你自己的人格、形象和言行，对孩子的影响有时大得你无法估计。

——李杜韩

赤条条地躺在寒冰上

去年 12 月 22 日那个周末，我没有外出。于是，我们家和几家朋友一起商量，准备开车到 Wisconsin Dells（威斯康星小山谷）去玩两天。上网查了一下，它离我们家有 176 英里，相当于二百七十多公里，开车不到 3 个小时就到了。

15 年前，我刚来美国的时候，威斯康星小山谷还只是一个小镇，有那么一条河，流过小山谷，玩一会儿就完了。下午刚刚 4 点来钟，小镇就冷清了，连家可口的饭店都找不到。好不容易我们找到了一家，要了一个羊排，等招待端上来我一看，烤得像木炭一样，舍不得花出去的钱，就硬着头皮吃了两三口，艰难地吞咽下去后走人。当天晚上就赶回了家里。一路上没有什么车，我高唱革命歌曲，从《大海航行靠舵手》，一直唱到"打倒美帝，打倒苏修，打倒各国反动派"。

现在的威斯康星小山谷已经成为方圆几百英里的旅游重镇，号称全美最大的水上乐园，一年四季，游人不断，冬天更热门。几乎一个大旅馆里，就有一个大的水上乐园，室内室外都有。室内的水上乐园，就在旅馆里面，从年初到年尾，都可以玩；室外的，只是夏天和秋天可以玩。芝加哥的气候和中国的东北差不多，冬天外面没有多少地方可去，于是，一听说去威斯康星小山谷，孩子们都高呼万岁！

圣诞节前是旺季，得事先预定住处。我们一家4口人，订了一个房间，两个晚上，258美金，加上税金28美金38美分，总计286美金38美分。24日离开的时候，还可以把行李搬出房间，到柜台租把钥匙存好，玩到晚上10点钟，不另外加钱。

这个房间带厨房，可以做饭，这是我们这些老中最喜欢的。出发前我们带了大饼、包子、方便面、水果、饮料，足够吃两天了。别人家带的是不同的食品，每天从早饭到晚饭，几家一起吃，七八个小孩子高兴得窜来窜去，一会儿吃这家的饭，一会儿吃那家的，他们几乎从小就在一起长大，一起去教会，所以，这次听说一家来了，他们马上催自己的父母一起去。

我们住在三楼，水上乐园在一楼。一到旅馆时，旅馆就给每一个人的手腕上弄上一个套圈，凭着它，就可以自由出入水上乐园，不用额外交钱。其实，水上乐园的门口也没有验票的，每一个人的手腕上都有一个圈。

威斯康星小山谷众多的水上乐园，每一家都有各自的特色。我们去的这家有两个拿手好戏。一个是大翻斗：里面装满了六七百磅的水，每隔几分钟，就从两层楼那么高的地方，"哗"的一声倒下来。倒水前它先响铃，一听铃响了，我和别的大人小孩一起跑到了它底下。"哗"的一声，直泻下来的大水，打得我不自觉地向前跨出了两步。还有一个叫龙卷风，三四个人一起坐在一个大塑料筏子上，让救生员从最高处推下，突然，猛地冲到了左面几米高，心一下子就悬起来了，还没等心落下，一下子又冲到了右面几米高！啊！啊！一下又一下，一声又一声，我跟着孩子们一起喊，如鬼哭，如狼嚎。

其实，我待得时间最长的，是日本式的热水池，水很热，直冒泡，我就在里面穷泡。泡累了，就到池子边的椅子上躺一会儿，缓过劲来，又下到池子里，继续泡。

后来，我还和一个救生员聊了一会儿，他说，他父亲是牧师，他们兄弟姐妹4个，都在上学。他正在圣经学院读书，将来准备作传道人。他说在这里工作一个小时十多美金，他工作8个小时，积攒自己的学费和生活费。在这里工作的，绝大多数都是年轻人：高中生、大学生。

由于各个水上乐园都有自己的王牌，并且和别的家不一样，所以，就形成了良性竞争：这次你到这家玩，下次可以到那家玩。

最令我留恋的一个水上公园，并不在威斯康星小山谷，而是在日内瓦湖附近，离我们家只有一个多小时的车程，它那里也有日本式的泡泡浴，其独特之处是热水池一半在室内，一半在室外，室内只穿游泳衣就可以了，室外却冰天雪地。

我蹲在室内的热水池子里泡一会儿，然后，走到隔开内外的小闸门前，举起小闸门，弯着身子来到了外面。身子在水里还很暖和，但不一会儿，头发就一把把地冻直了，胡子也变成白色了。呼出的气，白白的一条。池子边上，水蒸气冷却了，结成了大块的冰，大石头挂上了白霜。天显得很高，墨蓝、清冷，月亮高悬在半空，星星，一点又一点，可以数过来。突然，我借着热劲，窜到了池子边，在冰上躺下，面对青天，伸开双臂，任寒冬的风从身上吹过。

下去，上来。一次，又一次。

真爽啊！从来没有这么爽过！严冬、雪野、寒风、冷月、群星、热气，我孤零零地一个人，赤条条地躺在寒冰上，凝视着沉寂的星空，无思，无语，一动也不动。虽然不到一分钟，但那一刻，却永远刻在了我的记忆中。

2006年4月18日

【网友评论】

写这个帖子首先想到了独创性，有独创性才有创意，吸引人。

——范学德

范先生是一个无可救药的浪漫主义者。

——丽莲

百老汇大街上走一遭

上周末下午 1 点多钟，我飞到了纽约。一看接机的人，乐了，是汪代维，我认识他。他来自中国内地，现在在哥伦比亚大学读博士，来美国前，他的一个朋友让我关照一下他的信仰，他不是基督徒，但对信仰很感兴趣，我和他探讨的很少，只通过几次电话。没想到，这次居然见到了他。

我这次去的地方是哥伦比亚大学，那里有一个基督徒的查经班，他们邀请我到他们那里做几次讲演。邀请我的人是周小玲，来自中国台湾。

乘车到哥大的途中，代维告诉我，他受洗了。

"噢，怎么转过来了。有时间好好讲讲你的故事。"接着我问，"我住在什么地方？"

代维答，Brodaway107 街。

我惊奇，啊，百老汇大街啊！代维解释，是啊，哥大就在百老汇大街上。我说："我还不知道啊。"

这是一家小旅馆，两个晚上，180 美金。放下行李后，我跟代维说："我们到百老汇大街上走走怎么样，来纽约好几次了，还从来没有在百老汇大街上走过。"

从旅馆出来走了三四十米，就到了百老汇大街上。街不宽啊，怎么叫Brodaway 呢？有意思。中文翻译成"百老汇"，更有意思。天气正好，不冷不热，是纽约最好的季节。路旁，粉色的玉兰花开得艳而且雅，还有的树不知道叫什么名字，开着一树白花，风过去，点点白花落到了地上。

街上人来人往，什么模样的都有，说的话也多种多样，有人还背着个包，边走边四处瞧瞧，估计是游客，跟我差不多。

沿街的房子大都是店铺，大的、小的、气派的、平民的，都有。有个连锁店，卖副食的，水果就摆在了路旁，我看了一眼一盒草莓的价钱，3美金28美分，比芝加哥的贵了一美金多。有些饭馆，饭桌摆到了行人路旁，不过隔开了一道栏杆，人坐在那一边吃饭，一边看行人。行人中有一个是我，正好奇地看着他们。

走了一大段路后，累了，饿了。和代维一起找饭馆。路边一家中餐馆，隔着窗户一看，里面坐的几乎都是老美。免进。菜肯定味道不对。代维说："附近还有个越南餐馆。过两条街就到了。"算了吧。

西餐馆？也算了。

哎，街对面有家马来西亚餐馆。我从来没吃过马来西亚食物，就是它了。进去，坐下。看服务员的面孔太像老中了，一问，果然，她是中国内地来的，家在兰州。她说大厨是马来西亚人，华人。点了3个菜，一个炒米粉，一个沙锅，里面用咖喱粉炖了一堆蔬菜和肉，还有一个记不起来是什么了。一共将近20美金。又加了4美金的小费。一般的小费是百分之十五。

我边吃边向外看。街上还是人来人往，车来车往。一个老妇坐着轮椅过来，停在了饭馆的外面，是乞讨的？我只能看到她的后背，一身黑衣服。行人路过她，没有停下的，过了十来分钟，这个黑影也过去了。

饭后我们继续走。一直走到了林肯中心，艺术家心中的圣殿。广场中心一个喷水池，正对着大都会歌剧院。没有时间看歌剧，买了几张明信片。

一看5点多了，赶快往回走。乘地铁，车票两元。到哥伦比亚大学下车，走进校园不久，看到一群学生正在大楼前的空地上跳舞。什么舞，不知道，就是不断地扭动身体的不同部位。他们穿的衣服挺好玩的，其实也说不上是什么衣服了，就是几条黑乎乎的布条挂在了身上，我还以为是画在身上的呢。

周小玲和几个兄弟姐妹要和我一起吃晚饭，我不饿，主要是看他们吃。那几个兄弟姐妹都是内地来的，有北大的，有清华的，好像都是在读博士。我的老朋友周刚下班，就从市中心赶到这里看我。他说他是上班的人，于是，就他埋单了。他埋完单后就去地铁站。他家在新泽西州，乘地铁，开汽车，前后至少得一个小时。

晚上讲演的地方在哥伦比亚大学学生中心的地下室，有几个年长的华人等在那里。问他们才知道，他们住在附近，有的也是从哥大毕业的，都来自一个团契，好像叫中华基督徒团契，成立都五十来年了。

我们到得早了一点，地下室的会议室还有另外一个宗教社团举行活动，好像是印度教的。同学告诉我，大学里有许多不同的宗教社团，经常举行不同的宗教活动，学校提供免费场地，但需要提前预订，至于宗教活动的具体内容，学校当局一概不管。

我今天晚上讲演的内容是心灵的渴望。"主啊，如果我们找不到你，心灵便不得安宁。"奥古斯丁的这句名言，是我讲演的中心点。

讲演前，几个兄弟姐妹和我一起祈祷：主啊，求你怜悯我们，这是我们的共同心愿。

2006 年 4 月 20 日

【网友评论】

我来猫眼第一篇看的就是范先生的帖子。文笔清新优美，朴素亲切。我很喜欢。言为心声。他的君子风度，我也佩服。我脾气急，对好人就好，对坏人就急。

——猫在阳台 1

知道你累。但是大伙不肯叫你休息！

——沙柳之风

唉。看了楼主的主帖实在是不得不说，你信你的神就好了。我不信神但也不反对别人信神，可你的这些文章实在让我无法认同。通篇就是信你的神的都是甚么名校子弟啦！博士啦！等等的。原来不信这个神的都是低等的 Low Quality 一类的贱民，而信这个神的都是高等的 High Quality 一类的贵族是吧？

这让我想起日本的真理教徒，那些徒子徒孙可都是高等知识分子呀，博士一大堆！韩国的统一教更厉害了。呵呵！

不要趁火打劫自抬这个什么教的身价了。中国目前知识分子确实信仰缺乏，心灵真空，但不代表您这个教是救命良方，他只不过是经过良好包装箝制人心的东西罢了！还受洗呢！天天洗、天天喊阿们不是更好？恶心到极点了！主呀，赐我吃、赐我穿，不如也顺便帮我拉一拉吧！每天拉三遍也是挺烦的！

——清凉微风

上帝就是狗屎。我从来没有讨厌过一个人像讨厌他一样。

——xhq800523

副总裁即将辞职

春雨从昨天晚上就下个不停，雨丝在微风中微微地斜着，几乎连成了线。小雨点打在小窗上，"吧哒吧哒"地响。我推开门往外看，只见暗云把长空隔成一条条的。清新的水滴，则从邻居家的黑屋顶，跳到了我家门前停着的红车上，拐了一下，又涂在春花里，水仙花开得更水灵了，百合花合上了深红与金黄相间的花瓣，好像是一双合起来的小手，向苍天祈祷。水点从大树的绿叶上滴下来，一滴一滴地打在嫩绿的青草上，一片草叶，一片新绿，绿色的草坪从我家延到了邻居家，中间没有任何东西把它们分开，多么宽广的绿意。

我开车去教会讲道。

快到教会时，车转进了一个小胡同，小路两边的大树，几乎把路遮住了。突然，我看到路边人家的草地和车道上，一片白的，又一片金黄的，白色的是小花瓣，轻柔；金黄色的是从树枝上落下的绒毛毛，好像毛毛虫，厚厚的。一支小鸟飞到了开满小花的树枝头，向左看，又向右看。它那条弧形的飞翔曲线，隐入淡淡的雨气之中。

想到了一句歌词："在起伏的绿草中，我听到了上帝走过的声音。"

讲完道回家的路上，我想到了一个人。姓什么，叫什么，全忘记了。只记住了昨天晚上发生的几件事。

昨天晚上，我们教会开了一次布道会，虽然天下着雨，但还是来了一百多人，有老朋友，也有新朋友。会前聚餐，一家带一道菜，百家菜，东南西北的味都有，还有美国饭菜的味道，小孩子喜欢。晚上的主讲者是一位长者，六十多岁了。他住在美国东部，是一家大公司的副总裁。手下，管理着三四千人，掌握着六百亿人民币的预算。年薪多少，他没透露，怎么也上百万吧。

年前，他向公司总裁提出辞职。总裁婉转地问他是不是另有高就。他说，没有，就是觉得自己该退了。他跟大家说，我要赎回我的光阴。他所谓的光阴，就是要用生命余下的时间来传福音。

他引用了一句古话，"人若赚得全世界，赔上自己的生命，有什么益处呢？人还能拿什么换生命呢？"这是耶稣说的一句话。但他回想的不是自己的生命，他已经得到了，他想的是要让别人得到那生命。于是，他放下了副总裁的高位、高薪，要去传福音。当天晚上，听完他的讲演后，有 5 个朋友皈依了耶稣基督，成为基督徒。

这其中有一位是我们的朋友，她就坐在我后面的椅子上。布道会刚结束，她就捅了我一下，说："学德，今天我也举手了。我信耶稣了。"我告诉她，上帝聆听了我们的祷告。就在三天前的晚上，我们教会举行祷告会时，你的好朋友红梅还流着泪为你祷告，盼望你早日信耶稣。

这位副总裁还讲了一个故事。有一位传道人乘飞机到外地去传道。坐下后，拿起书来读。

旁边的一位美国年轻人感到好奇，就问："你读的是什么书？"

传道人答："中文版的圣经。"

年轻人很惊讶："这都什么年月了，你还读这个！"

传道人没有回答，看着年轻人笑了笑，继续读圣经。

过了一会儿，飞机遇到了强烈的气流，晃动得很厉害。年轻人的脸都白了，不自觉地碰了一下传道人，说："先生，请你替我祷告。"

大家一听都笑了。故事还没有完，传道人幽默了那年轻人一把："这都什么年月了，你还求人家替你祷告？"

我则想到了中国的一句老话：穷则呼天。

这也怪了，在危急的时候，人为什么不自觉地喊"天哪"、"妈呀"或"主啊"？为什么就没有几个人喊"人民币啊"、"美金啊"、"欧元啊"？

和一位朋友说到这个副总裁的选择，那位说："我要是坐在那个位置上，干两年我就辞职，不干了！"

"怎么讲？"我问。

"一年他怎么也挣上百万了，两年挣的钱一辈子也花不完。要是我，两百万，一辈子就够了。"

我说："你是没在那个位置上。你要是干上了，恐怕就不想下来了。钱有魔力啊。"

好像是胡适说过，麻将里头有鬼。何止是麻将啊！要是我们心里有鬼的话，我们就知道，钱里头有鬼，权里头也有鬼。话又说回来，哪一个人心里没鬼呢？

这是我的联想，在美国这样一个消费至上、金钱至上的社会中，还有许多人献身于上帝，献身于自由、人权、正义，献身于科学和艺术，这才是美国社会的真正力量所在。这个力量，就是一个公民用爱心来为社会服务的力量。想到这里，停住了，外面的雨，还在一个劲地下。

2006 年 4 月 30 日于芝加哥

【网友评论】

上去了，就不想下来。当官的都这样，在我们这儿，权的力量最大。

——王小三

在中国这样一个社会中，一样还有许多人献身于自己的信仰，献身于自由、人权、正义，献身于科学和艺术，中国同样有力量。至少有希望。这同样也表明了人类的力量和希望。

——坐云上的猪

在美国，有许多不乏财产超过 1000 万美元的普通人，但把他们放在别国，肯定锦袍加身了。

——土豆妮

心静才可以看得进去这篇文章，看进去了心又更静了些。

—— ZHAOLAOHAN

人的心灵在寻找皈依。

——范学德

我准备这样死去

我最早看到过的死人，是十来岁的时候，邻居家的王叔叔因活不下去而上吊了。那时文化大革命大概刚刚开始。

后来，我看到过病死的、老死的、暴死的、被斗死的、武斗中被打死的、被枪毙的。我还跟别人一起抬过杠，埋死人。但我都觉得这是老人的事，将来的事，别人的事，意外的事。直到十多年前，父亲走了，我才感觉死亡原来竟然那么真实。

如今，我也老了，五十多岁了，小孩子看着我，都叫我爷爷了，我就是不愿意承认也不得不承认，死亡离我不远了，它随时可能来到。

生命不在我手里。

我准备怎么样去死呢？

今天中午，教会的主日崇拜结束后，又开始了主日学。主日学就是大家一起学习圣经或讨论问题，时间一个小时左右，由一个或几基督徒主持讨论学习。

我今天参加了"基本真理班"的学习。有十几个人参加了这个班，大家大都来自大陆，大都是基督徒，信主的时间不久。主持学习的林道真姐妹六十多岁了，从小就信耶稣。她今天带领我们学习了一段圣经，经文记载在《约翰福音》中，是耶稣说的一段非常著名的话："我就是道路，真理，生命；若不借着我，没有人能到父那里去。"

在解释"生命"这个概念的时候，道真姐讲的几个故事吸引了我。道真姐平时非常关心周围的华人，到医院探访病人是她的家常便饭，于是，自然见到了一些濒临死亡的人。她说，小孩子、中年人和老年人的死亡，她都亲眼看到过。

有一次，她去看望一对年轻夫妇的孩子，他们的小女儿才三岁，病危，躺在病床上，全靠医疗器械来维持呼吸，孩子的脸上已经没有什么血色了。她和孩子的母亲一起为孩子祷告，然后，轻轻唱一首小孩子唱的赞美诗。最后，当那些器械刚一撤下，小孩子的脸一下子就变青了。人就是那么一口气，气没了，就离开了这个世界。

中年人的故事是她弟弟的。她弟弟也是从小就信主，后来从缅甸到美国读书，然后作了多年的医生。四十多岁的时候，得了癌症。最后的一天，他虽然知道自己不行了，但很平静。他微笑着对牧师和姐姐说："赏赐的是耶和华，收取的也是耶和华。"这段话出自圣经中的《约伯记》，据说，法国大文学家雨果说过这样一句话，假如世界上只留下一部书，那就留下《约伯记》吧。我也非常喜欢《约伯记》，百读不厌。

道真的弟弟说完那段圣经后，又对牧师说起了自己姐姐的故事。说着说着，声音就渐渐听不到了，眼睛再也没有睁开。道真姐含着眼泪，为弟弟唱赞美诗，那是他们从小就会唱的，从小在教会中一起唱了多年。姐姐知道弟弟的心，弟弟最后的心愿是，姐姐，唱一首歌送我走吧，让我在歌声中去见我的主、我的父。

老年人也是林姐妹的亲人，她父亲。她父亲是牧师，一九四九年从大陆到缅甸，在教会中工作多年。有十几年的时间，他没有固定薪水，平日的生活就靠兄弟姐妹的爱心帮助，张三家送一袋米，李四家送一块布。老人家退休后，来到了美国，住在女婿家。七十六七岁时，老人知道自己在这个世界上的路已经走到头了，就对女儿说："这几天我就要去见天父啦。"那天，老人洗浴后，换上了干干净净的衣服，他对女儿说，我要洗干净自己去见我的主。

他说的另一句话是："主啊，我已经准备好了（去见你）。"然后，老人就祷告："主啊，求你怜悯我。"

听到父亲说"主啊，我已经准备好了"，道真就跪在了地上，为父亲祷告，并且，为父亲唱一首赞美诗歌，那是她父亲一生最喜欢的一首歌。她是用家乡话唱的，闽南话。那时候，他们父女离开故乡福建已经四十多年了。

老人的双手举起来了，仿佛看到有天使来接他回家。他笑了，脸上发光。在女儿的歌声和祷告声中，他安息了。

听到道真姐讲的这三个故事，我不自觉地想到了自己。当我离开这个世界的那一天，我愿意这样死去，在我的亲人，我的兄弟姐妹的祷告声和歌声中去见我的主。我想听到一首歌《感恩的泪》，这是内地的一个基督徒创作的。那时，如果我还能发出声音的话，这就是我的祷告："主啊，求你怜悯我。"

当然，我还有另外一个心愿，如果我死在美国，我盼望我的亲人把我的骨灰带回大陆，带回到我的故乡凤凰城，埋在我父母的坟墓的旁边。自从 36 岁那年来到了美国，我就没能在老人身边尽孝，两位老人走的时候，我都没有看到最后一眼。这是我一生中最大的遗憾。

2006 年 5 月 7 日

【网友评论】

老范是性情中人。

——齐鲁狂生

这样是不是很神奇呢？

——小猫儿

靠不存在的东西哄骗自己，讲到底，还是不敢面对死亡。人类只有靠自己战胜对死亡的恐惧。那才是最彻底的勇气。

——成惠天

舒伯特的一曲《圣母颂》，让我知道了什么是圣洁和悲悯，虽然我仍是一个"无神论者"，可是这歌声还是深深地震撼了我。"啊，圣玛利亚，圣洁的母亲！当我们在岩石上沉睡，有你来保护我们，坚硬的岩石也会变得柔软；在梦里我看见你的微笑，我仿佛闻到玫瑰的芳香。啊，圣母，我要向你倾诉我一片赤诚的少女的心！啊，圣玛利亚！"

——乞丐之子

我读范弟兄的帖不知不觉泪水浸润了双眼。

——生命和自由

拉屎，就好好拉屎

十多天前，电脑又遭到攻击，送来了一大堆垃圾，还好，我认识中文，网站的名字都看明白了。这次攻击，我整理的二十来万字的书稿，突然就消失了。搞得我气了一个来小时。正在气头上，想起了一句台词，是小时候听到的，"别中了鬼子的奸计"，我笑了，咱不生气。

回到题目。我这个伟大的思想是从一位高僧那里学来的。前几天读曼宁的书《毫不留情的信任》，他在书中引用了一段对话，是越南的一行禅师和一位基督徒的对话。该基督徒要帮助一行禅师洗碗。一行禅师说，我不确定你知道怎么样洗碗。基督徒当然说知道。一行禅师又说："不，你洗碗是为了过一会儿要喝茶和吃点心，这不是洗碗的方法。你必须为洗碗而洗碗。"

大师后来对学生说："走路时，就走路；吃饭时，就吃饭。"学生疑惑，"人人不都是这样做吗？"大师答："不，许多人走路时只着眼于要前往的目标，他们并没有真正去体验走路，他们甚至没有注意到自己在走路。"

这番话令我茅塞顿开。由茅塞立即想到茅房，于是，一句话就浮现在脑海中：拉屎时，就拉屎。或者说，拉屎，就好好拉屎。

我知道这话俗。但便秘的人都知道，能好好拉屎，那是多么幸福。咱雅一点地说吧，把拉屎改成方便。总之，无论人怎么高贵怎么伟大，他都得方便的。要光是一个劲地吃，吃山珍海味，无论吃多少，就是不去方便，或者，根本就没有方便的感觉，那是要出事的。人能方便，按时方便，这也值得感恩。

该方便时，就方便吧。可以随时，但不要随地，自己家里的地，不在禁止之列。

对于我来说，方便时最开心的事，莫过于随便拿一本书来读，当然了，是轻松的书，不能是文件，其实，我也拿不到文件，我们家没有什么文件。看到开心处一笑，臭气也就不那么逼人了。

当然了，能在方便的时候看书，这也是拜改革开放之福，以前农村的茅房绝对是茅房，在野地里，四面透风，大冷天的，没有人想在那里久蹲，也就是一袋烟的功夫。那时候奇怪，大人怎么上厕所还吸烟呢？现在看来，肯定不仅仅是为了驱臭。

干什么时，就干什么，首先想到的不是干好，不是获得什么伟大的报酬，而是欣赏并且享受自己正在进行的这个干什么的时刻，把握并体验着这一个时刻中的美好，并且清楚地知道，这一时刻错过了，就错过了，永远不会再来。

不过，话又说开了。尽管你可以换着样来拉屎，但拉屎就是拉屎。你不能换个词，说你那不是排泄，而是制造，并且不是造粪，而是制造黄金。其实，你把拉屎说成是拉黄金，你自己信吗？你要是信的话，肯定会一把抓住那黄金，打死也不会放手的。就算不能一个人独吞，也得做成一桌黄金宴，恭请大人小人贵人不贵人们纷纷入席。

2007 年 3 月 15 日

【网友评论】

有禅味啊，老范，你的书，读读歇歇，已经完成一大半。多是晚上睡前读个一节两节的。

——激情老道

多年前，一个在北大读法律系的女生写了封信给我，信里面有那么一句话：过好每一天，人就过完了这无怨无悔的一生。这句话看似简单，我却用了很多年来领悟，我想范先生就是这个意思吧。

——右派愤青

老范也是常出妙语的，不过比我要厚道多了。

——西域狂生

"屎"的中药名称为"人中黄"，把"拉屎"硬是说成"拉黄金"太正常不过了。中华民族太有才了。

——visitorhm

黄安伦指挥《复活节大合唱》

几天前与黄安伦约定，我要在两点钟赶到多伦多华人浸信会，看《复活节大合唱》的彩排。路上耽误了一点，赶到教堂时已经是两点十五了。《复活节大合唱》由唐佑之作词，黄安伦作曲。今天，又由黄安伦亲自指挥。

我进去时，安伦正对诗班说什么，背对着我。我在教堂中间的椅子上找了一个座位，悄悄地坐下，看了一眼，只有四五个人看彩排。诗班，将近五十人，弹钢琴的是黄安伦的妻子——钢琴家欧阳瑞丽。她看见我了，过来跟我说，为了让我听到全部的大合唱，安伦让她连前奏和间奏都弹，而她这几天手指头正疼着，我真不知道说什么感谢的话好。

本来安伦兄邀请我观看今天晚上的正式演出，但我晚上临时有事，很遗憾。

黄安伦讲完话了，回头看到了我，高兴地走过来，并且给我拿来了一份歌谱。他让我好好看，等彩排完了我们再聊，我说好。我拿出了一盘黄安伦的CD请他签名，这是国内的一个朋友索要的。

趁着还没有开始彩排，我赶紧看了黄安伦写的前言。啊，《复活节大合唱》原来是 1985 年底写的！转眼间，二十多年了。

安伦在聊天时说，那时，他还在耶鲁大学读书，有一次，教会诗班的兄弟姐妹问他，你能不能为我们诗班写个曲子啊？黄说，能，写什么啊？他们说，你想怎么写就怎么写，自由创作。

黄就进入了自由创作的状态中，没有任何限制，没有任何框框，就是顺应着自己内心的深深感动。写，再写，写了半年多，终于写出了华人音乐史上第一部复活节大合唱。诗班的负责人把曲子拿到手后，颧骨疼了三个星期，因为黄安伦要求必须用国语唱，而诗班中的歌手们大都来自香港，说粤语。但他们硬是从一个字一个字的发音学起，唱完了《复活节大合唱》。

彩排开始了，琴声、歌声。

黄安伦不愧是著名的作曲家，一出手，就把我带到了另外一个阴冷黑暗的世界。女中音，"夜！可怕的黑夜，幽暗布满世界……"我想到了远古，还有远方。夜，最可怕的黑夜是心灵的黑夜，没有希望，生命之光渐渐消失了。

合唱："从伊甸园悲剧就开始了，这悲剧可以成为尾声吗？"

千古的疑问，千古的盼望，千古的绝望。

合唱："神使人在夜间歌唱，在黑暗之后必有黎明"，一遍又一遍地歌唱。神使人在夜间歌唱，这句歌词真美。在黑暗之后必有黎明。

希望在哪里？

大合唱，如排山、如倒海，"他已经复活了。主已经复活了！复活了！"

安伦兄怎么也没有想到，十七八年后，正是这一个盼望，支撑着他活下去，并写出了华人世界中的第一部安魂曲。那年，他正在北京录制曲子，忽然接到家里打来的电话，他的独生子遇难。在回多伦多的飞机上，他一再地问为什么？后来，他的视线落在了《圣经》的一段经文上，"死啊！你得胜的权势在哪里？"是的，死亡已经被战胜了，他已经复活了，耶稣已经复活了。在他儿子的葬礼结束后，欧阳对安伦说，孩子不在这里，是吧？这句话我印象非常深刻。

这就是希望。没有上帝，就没有真正的希望，或者说，什么都可以成为希望，或者说，一切希望都将变为绝望。

男低音打断了我的思绪："愿你们平安！平安！愿你们平安！"多么柔和的声音，充满了爱。那是耶稣复活后，对门徒的最大祝福。

这也是我最深的渴望——平安。主啊，赐我平安。

"孩子，在这个世界上你们有苦难，但在我里面你们有平安。"

"主啊，怎么能在你里面？"

"孩子，信我，爱我，因我爱你永不改变。"

诗班一遍又一遍的歌唱："当相信主耶稣，当相信主耶稣……"

我爱你永不改变，自由的真正根基。

2007年耶稣受难节，于多伦多

【网友评论】

兼爱，仁爱，固然可嘉，不过，这还只是人类之爱。中国传统文化和民族精神中所缺乏的正是对上帝公义和大爱的感知与接纳！

——克罗采

范兄的帖我碰上总要进来的，呵呵，离上帝近一步，就离罪恶远一步。

——连晨

为了爱而死在中国的奥运冠军

昨天晚上准备睡觉时，已经 12 点多了。随手拿了一本书，名字叫《战火童心》。心想，看几页就睡觉吧，没想到，一拿起来，就放不下了，读完后看表，已经快 3 点了，但还是没有睡意。

书是徐弟兄给我的，由加拿大恩福协会出版，版权页上注明：本书乃非卖品。它的作者是米大卫（DavidMichell），一位澳洲宣教士的儿子，第二次世界大战期间，他随父母来到了中国，6 岁时到烟台的一所宣教士子女的寄宿学校读书，那年是 1940 年。后来，随着太平洋战争爆发，他和其他一些宣教士的子女一起成了日军的小俘虏，在潍县被关了 3 年。

1985 年，是他们在潍县集中营被美军解放 40 周年纪念日，他们带着自己的孩子来到了中国，一行 8 人，其中有 3 人出生在中国。他们对中国人充满了爱的感情。记得去年在香港看到戴绍曾老人时，他也告诉了我同样的故事。戴绍曾出生在中国，也是宣教士的儿子，从他曾祖父开始，他们家人就到中国西南偏远的地区为中国人服务。20 世纪 80 年代初期，大陆开放时，戴绍曾和姐姐一起回到了中国，自己的故乡，一到北京，他们就跪在故乡的土地上，哭了……

戴绍曾和他的父亲，当年都是米大卫的难友。

其实，翻开这本书前，我最想知道的是米大卫的另外一个故事。米大卫虽然当年深受日本人的折磨，但在澳洲和英国完成学业之后，他居然到日本去作宣教士，一去就是 10 年，用爱来为日本人服务。

耶稣说，爱你的敌人。这句话，深深地感动了米大卫的心。但这本书中，米大卫并没有讲自己的故事。

他说了另外一个人的故事，那个人就是埃里克·利德尔（Erik Liddell），他是奥斯卡金像奖——《烈火战车》一片中的主人公原型。在1924年的奥运会中，埃里克是百米决赛的选手之一，并且是最有希望得到奥运百米金牌的选手。但决赛的那一天正是礼拜天，基督徒的主日，为了到教堂去敬拜上帝，他放弃了百米决赛。即使英国皇室成员出面来劝说他，即使劝说者说到了为了祖国的荣誉这个份上，但埃里克依然不为之所动。他放弃了获得百米奥运金牌的机会。

金牌并不是一切，唯有上帝高于一切。

在后来的赛程中，埃里克竟然得到了四百米的金牌，这不是他的强项，也没有人预测他可能会得到这块金牌。

一个奥运金牌的得主，被视为民族英雄，还是剑桥大学的毕业生。但是，毕业以后，埃里克最终却选择来到中国传福音，再后来，他被关进了潍县集中营，并死在集中营里。他离开英国前曾经向他的同胞挑战，"向世界传扬基督，因为世界需要基督"。

正是在潍县集中营里，米大卫认识了埃里克。埃里克在集中营里面，竭力帮助每一个人，为老人背东西，陪小孩子玩，甚至当足球裁判，教年纪大一点的学生上理科的课程，为他们将来考取牛津大学做准备。星期五的晚上，他带领一个青年聚会，他最喜欢讲的一段圣经就是《哥林多前书》第13章，有人统计，这一章是全世界的基督徒最喜爱的一章。那一章里有一段最著名的话：

爱是恒久忍耐，又有恩慈；爱是不嫉妒，爱是不自夸，不张狂，不做害羞的事，不求自己的益处，不轻易发怒，不计算人的恶，不喜欢不义，只喜欢真理；凡事包容，凡事相信，凡事盼望，凡事忍耐；爱是永不止息。

爱是永不止息。

1945 年 2 月 21 日，埃里克因脑瘤而死于集中营，年仅 43 岁，他最后的遗言是："完全顺服。"他去世的消息震动了整个集中营，有一位非基督徒闻讯说："昨天基督耶稣活在我们当中，今天他已不再与我们在一起了。"

埃里克的遗骨埋在了中国。

当米大卫来到中国寻找当年埋葬埃里克的小坟地时，却怎么也找不到了。在离开这块曾经囚禁过他的土地之前，米大卫突然双膝跪下，祈祷："感谢上帝，感谢上帝所赐的信心，感谢上帝恒久的信实，感谢上帝赐下了没有围墙能够囚禁着的自由。"

没有围墙能够囚禁着的自由，美言也，善言也。

2007 年耶稣受难节，于多伦多

附录：

一位网友贴上了一段《齐鲁晚报》的消息，但是，没有注明日期。据《齐鲁晚报》报道："清明节临近，坐落在潍坊市虞河边的潍县集中营陈列馆（潍县乐道院）引来了不少中外人士，他们驻足流连，缅怀先人，回忆曾经的那段峥嵘岁月。潍县集中营，即潍县乐道院，1883 年修建。二战太平洋战争爆发后，日军将其改造成一座集中营，并将长江以北地区及上海的美英等国侨民陆续掳来关押。"（注：潍县乐道院是由一对美国传教士夫妇建立，乐道院一度成为昌潍一带的教会、教育和医疗卫生中心。院内的钟楼为潍县城东部的标志性建筑物。）

【网友评论】

没有围墙能够囚禁的了自由。

——晓小猫

重点不在奥运冠军，在他们的爱。

——大漠荒烟

运动员不是得奖机器。

——范学德

没有爱的国度，是一切罪恶的滋生地。

——0749903907

我相信今后的路会越走越平安

4月9号早上8点刚过，胡君就来接我了，我下榻的旅馆在曼哈顿，我今天要去的教会在艾母赫斯特（Eimhurst），开车得四十来分钟。一进到车里，胡君就对我说，他的车出现了点毛病，请我祷告。我们一起祷告求告主耶稣保守我们一路平安。祷告完了，我的心也就放下去了。胡君来自大陆，多年前成为基督徒。

我今天去的这个教会叫新城归正教会，进到教堂以后我才发现，这是一间老教堂，1731年就建立了，是由69个荷兰移民建立的，他们大都是农民，有位兄弟捐献了这块地皮，大家又奉献了227英镑12先令，就建立了这个教堂。1980年，这里的牧师看到了大量的台湾移民来到了皇后区，于是，就邀请一个讲台语的牧师开始了福音工作，现在，这里的礼拜天分别用闽南语、普通话和英语三种语言进行主日崇拜。

今天普通话崇拜的重头戏是受洗，有四位兄弟姐妹接受洗礼。其中三人来自中国内地。虽然我已经看过多次洗礼了，但今天又一次看到，还是挺激动的，尤其是听到他们说信耶稣基督的时候，我仿佛回到了我受洗的那一天，我说的也是这一句话，转眼间，这已经是11年前的事情了。

有两位兄弟姐妹，当他们跪在圣坛前时，流泪了。其中的一位是长者，看样子有六十来岁了。

主日崇拜结束后，我们来到了一个副堂，听见证，就是刚刚受洗的四位兄弟姐妹讲他们信主的经过。一般教会在受洗以后都会举行这样的活动，这也是最受会众欢迎的活动。

第一位讲的就是那位年长的兄弟。他是从武汉来美国探亲的。来到这里很闷，于是就去了教会，一开始去的是家美国人的教会，他听不懂。后来有一天在街上溜达，看到了新城归正教会，说普通话，于是他就来了，来了就喜欢了，一喜欢就不走了，一周两次，风雨不误。他说他是个没有文化的人，但道理却越听越明白，就这样就信主了。

他说："从今以后，不论遇到什么事情，什么困难，我都要依靠耶稣基督。我相信今后的路我会越走越平安。"说到这里，他流泪了。

下一位是一位中年姐妹，她说她来美国这么多年，一直没有去教会。去年暑假，她要到她妹妹家里去玩，她妹妹在芝加哥，正赶上那里有一个福音营，就问她要不要去。她想，去了也没有什么不好的，结果她就去了。在福音营中，她听到传道人讲人都是罪人，她不明白，甚至反感，但后来通过学习她知道了，基督教关于罪的概念说的到底是什么，她认罪了，她承认自己是一个罪人，在上帝面前是有罪的。自己有一位在天上的父亲，但自己却不承认他是自己的父亲，这不就是罪吗？

第三位讲的姐妹姓朱，她是前年10月份来到新城教会的。在这之前，她说她对基督教的教义完全不懂，对基督徒的虔诚、默想、祷告也觉得奇怪。到了新城教会后，她受到牧师师母和教会的兄弟姐妹们的热情帮助，而她对基督教的认识，也从教友们送来的书籍《游子吟》等，开始启蒙了。

后来，她相信有神，但是，从相信神到能够体验神，对她来说又是一个渐进的过程。她说，基督教让我知道人从哪里来最终要到哪里去，知道天上有一位慈爱的父，他爱我们，时时看顾我们，并指给我们永生的路。这些都对生命的困惑给出了答案，让我觉得安心。

她在见证中还引用了拿破仑的话，拿破仑曾经说过："基督存在的本质是奥秘，我并不明白。但我明白一件事，他能满足人心。拒绝他，世界就成了一个费解的迷，相信他，人类历史就可以找到圆满的答案。"拿破仑还说："耶稣不单是人，世人与他是无法相比的。亚历山大、凯撒、查理曼大帝与我都建立过大帝国，但我们建国靠的是什么呢，靠武力。但耶稣以爱建立他的国度，光是在这一时刻，世间就有成千成万的人愿为他抛头颅，洒热血。"

让人们出于爱而自由地跟随他，这就是耶稣。

最后一位作见证的姐妹来自马来西亚。几年前，她为了孩子而来到教会。作为一个新移民，她希望自己的孩子能够成为一个好孩子，而教会办的儿童主日学正是帮助孩子如何成为一个好孩子的。这样，她就陪孩子来了。中间曾经几次退出，但教主日学的老师一次次找孩子，这令她深深感动，直到有一天，她自己接受了耶稣基督做救主。

2007 年 4 月 10 日

【网友评论】

我是学理科的，没有宗教信仰。不过我认为现在的基督教，佛教都还是比较健康的。不象有的宗教已进入疯狂，自我毁灭阶段了。

——我是判官

对基督教的幻灭对信仰者有一点打击，人毕竟是不太甘心到这个世界上只走一会。但是恰恰是出于对神的存在的幻灭，使我越发意识到人与人之间的温情的重要。我们就像一群没有父母保护和照料的孤儿，在这茫茫的宇宙之中生存挣扎，彼此能做的也就是相互拉一把。我觉得罗素的话有一定道理："你只要承认科学的一般规律，就必然认为，地球上人类生命和一切生命到了一定阶段都将灭亡，这是太阳系逐渐衰亡的过程。"

——铁帐帽子王

我们都是乞丐

心里有点事，睡不着，呆呆地盯着电脑的屏幕，看中国的新闻。看到下半夜了，还呆呆地坐在椅子上。窗外黑乎乎的，阴风还在嚎叫，从今天天一黑，它就开始叫了，还夹着雨点。有一阵子停了，隔了一会儿，又叫起来，阴森森的，心寒。明天早上，又要降温了。

上周一来到多伦多教课。走得匆忙，没有带几件御寒的衣服。没想到，来了两天后气温就急剧下降，走出门外，冻得直哆嗦。朋友送来一件大衣，出门赶紧披上，大衣短点，但还是遮住了不少寒气。

这次我教布道学。加拿大的恩福协会开了一个神学训练班，对象是刚到加拿大的中国人。他们信主了，渴望献身传道，经过教会推荐以后，就可以参加。课程是从北美各地聘来的老师讲，一人讲一门课，或者两门课。课程和一般神学院的没有什么区别。不同的是课程安排比较密集，30 个小时一门课，两周上完，几乎每天晚上都有课。

每门课收 300 加元。

我这门课，有 7 个学生，年龄都在三十上下，6 个来自内地，另一个是台湾人，但对大陆人感情特别深厚。他们白天几乎都上班，晚上一下班，就匆匆赶到教室。教室是在一个教会的办公室里，七八把椅子围着一个大桌子，大桌子权作讲桌。

第一天上课，我就请他们介绍各自的背景。有的是博士、大学教师，有的是护士、记者、工程师。时间长的，来到加拿大十来年了，短的四五年。大部分是来到加拿大以后信耶稣的。

我采用讨论式教学法。有时我作主题发言，大家讨论，有时，请一两个学生讲一个题目，然后大家评论。第一天讲前言，什么是布道？关于这个问题，著名学者巴刻有一个著名的定义，他说："布道乃是以圣灵的能力传讲基督耶稣，使人能够借着他信靠上帝，接受耶稣为救主，并在他的教会中与信徒相通，事奉他如君王。"这个定义为大多数研究布道学的学者所接受。有意思的是，在网上，有人一听到耶稣、基督徒，就说这是传教，其实，那离布道差远了。

我喜欢的是另外一个定义，布道就好像是一个乞丐告诉另外一个乞丐，哪里可以找到免费的面包。

我自己给布道下的定义是：布道就是一个罪人告诉一个（或者一群）罪人，我们都是需要被耶稣基督所拯救的罪人，或者，我们都是乞丐。

围绕着这个定义，我们讨论了一系列问题，比如在传福音的过程中，必须身传与言传并重。你是一个什么样的人，你就传达了什么信息，因此，布道不是一种演讲活动，而是基督徒的一种生活方式。把基督之爱带到人间，这是布道的基础。

还有许多问题，都需要详细讨论，怎么样引导讨论，我陷入沉思之中。

外面，寒风还在呼啸。

2007 年 4 月 10 日于多伦多

【网友评论】

范式文章，够味儿。呵呵。

——忍者无意

乍暖还寒的时候，最难将息。

——不雨也萧萧

一个原本迷路的人终于闹明白真正的家在哪儿，怎样才可以安全回去后，就去告诉其他的迷路人如何回到真正的家。

——visitorhm

画展：莫奈在诺曼底

昨天真是好日子，唐医生夫妇载我去看莫奈画展。

车在街中行，路边是绿树，有的绿叶几乎可以成荫，有的还遮不住枝条。黑色的树干上，绿色的叶子格外分明，发出各自的亮光。一树树的花在开着，我最喜欢淡粉色的那种，好像是家乡的小桃红。在故乡，现在正是她盛开的季节，还有那杜鹃花，我们老家真多啊，好花如潮。

门票成年人 13 元一张，唐师母办的是会员卡，给了 4 张免费的票。我们一行 3 人拿着票准备去排队，今天的队很长，许多来看画的是韩国人，好像是一个或几个旅游团。一位工作人员走过来，一看唐医生和唐师母的样子，不用说了，地道的老年人，于是就跟我们说，不用排队了，坐电梯直接上去。上去之后，检票的工作人员先给我们检了票，这样，我们就提早来到了展厅之中。

虽然看过许多次莫奈的画，还看过他的画展，但这次来，我还是有些激动，我很喜欢莫奈的画。

这次莫奈画展的主题是：莫奈在诺曼底。展出了莫奈以诺曼底为题材的五十多幅画。

也许是看过了许多莫奈作品的关系，莫奈早期的几幅画并没有特别吸引我，我只在那幅《黑夜中的海》之前停留了一会儿，那黑色，有一种穿透力，仿佛要把一切都隐藏起来，又把一切都吞噬。这应该是心灵中的海吧，最黑的莫过于人心，至少我如此解读。

接着，我看到了莫奈画笔下的悬崖，《断壁》（1882）。我注视了许久，还是缓不过劲来，这断壁到底奇在哪里呢？我想到我看过的中国古代山水画，那也是悬崖断壁，它们奇绝、俊险、突兀。对比之下，莫奈笔下的悬崖，却是厚重的，柔和的，堆积了万千的亮丽色彩，并且悬崖连着海，海连着云，彩色的悬崖，彩色的海，彩色的云。

《浪花》（1881）这幅名画震撼了我。仿佛李白笔下的黄河之水从天来，呼地一声跌入百丈深渊，铺天盖地的浪花，一排推着一排，一个挤着一个，撞击着、涌动着、奔放着，在我的心灵深处轰鸣。这些年来，我虽然看过许多种颜色的花，但却很少能够看到绿色或者蓝色的花。而莫奈笔下的万千浪花，正是绿色的花，蓝色的花，它们嵌着紫色的边，黄色的边，白色的边。

我想起了在新西兰看过的海浪花，在夏威夷看到的海浪花，还有在华山西峰看到的落日，落日在彩云中，云如海。

在《落日》（1882-1883）这幅名画中出现的峭壁，仿佛一只巨象，将头伸进了大海，要饮尽无尽的海水。而落日也快坠入大海之中了。"夕阳无限好"这句名诗，就这样来到了我的脑海里，但却没有一丝伤感，只有恬静、愉悦。一个小小的夕阳，如旋转的火轮，在天际燃烧。天，飘起了一条条彩巾，或长或短，或绿色，或黄色，或紫色。水中的悬崖，是紫色的天地。大海，平静了，红色的波，蓝色的波，黄色的波，绿色的波，褐色的波，交织，融汇，贯通。正是这多彩的海洋，造就了真正的和谐，和谐，那是自由在歌唱。

和谐不是死亡，不是一潭死水，而是多彩的生命，不同才能造就多彩。只有自由的创作中，才能画出这真生命的本来色彩。

创作自由，这是艺术创作的必由之路，根本规律，基本保障。

《塔楼》（1894）这幅名作画的是教堂的塔楼，那颜色该称为蓝紫色吧。淡淡的，一片朦朦胧胧。教堂，紫色，朦胧，是不是有象征意义？对于一个有信仰的人来说，他永远也不可能面对一个明朗朗的天，总是有那么一团朦胧，在天际，也在心头。

一看到《麦田》（1881）这幅名画，清新立即就扑面而来，朗朗的长空下，几颗深绿色的大树挺立着，发出了绿色的生命信息。眼前的一片，则是密密麻麻的野草，翠绿色中，夹杂着一点点的黄色、红色、蓝色——莫奈真喜欢蓝色啊。在绿树和野草之间，是横贯整个画面的麦子，火一样的红，火一般地在燃烧。麦子熟了，金色的天地，红色的天地，黄色的天地，一切都在歌唱，在跳舞，在欢呼，在等待。

想起了那句关于麦田的最著名的话："我告诉你们，举目向田观看，庄稼已经熟了，可以收割了。"

在心灵的荒原上，也能收割吗？

一幅幅名画，怎么都看不够。我静静地看，看了又看，不忍心离开。

在那幅《睡莲》（1908）前，我看过了，走开了，又回头再一次来到她的面前，静静地看。这一室内，展出了七八幅睡莲，哪一幅都是千古绝唱。但是，不知道为什么，这一个小幅的睡莲，竟然把我打动得一塌糊涂。六七簇睡莲，花儿很小，也很少，水面半蓝半绿，花儿或红或黄，我盯住了那红花，仿佛小孩子一双手，胖乎乎的，红艳艳的，半开着，朝向长天。难道就是这些就打动了我？还有，还有什么呢？呵，秘密原来在荷叶和荷花旁。一片荷叶，一朵荷花，就有数条彩影环绕着，宛如彩绸，轻轻地舞起，抛向绿色的水，卷起蓝色的风，牵动着紫色的魂，花魂啊，你在哪里？

难道莫奈看过敦煌的绘画？不可能。但是，他画笔下的花影、荷影，正如敦煌绘画中那些飞天，在长空中曼舞。多么美妙啊，那轻柔飘逸的舞姿。

那是五六年前的事了，我和朋友一道去敦煌，我看到了那画石窟中的飞天，舞姿依旧在，但那色彩却不见了。今天，在莫奈的笔下，我看到了那色彩，说不尽的感慨。

自由是多彩的。

2007 年 5 月 7 日

【网友评论】

有感恩的心，就有捕捉美好的眼。喜欢楼主的文字，更感叹上帝创造的这个世界！

——实实

喜欢范先生的散文，但个人认为传播真理就要大声地说出来。

——依卡路斯

随意而写的，比那些挖空心思的来得真切得多！

——狐狸头

为外国留学生服务

Ripid City 在哪里啊？乘飞机参加退修会的前两天，我才看了一下美国地图，噢，它原来在我们芝加哥的西北面，飞行距离 780 英里，时间，2 小时 12 分钟。到了机场，乘小飞机，40 个乘客。坐在我旁边的是梁弟兄，我们两人同为这次退修会的讲员。退修会由国际学生会（ISI）举办，叫做 2007 BlackHills 华人退修会。后来才知道，他们举办这个活动已经好多年了，当然了，主办者是老美。

我们一出机场安全检查口，一个美国白人妇女就从椅子上站起来，说，你们谁是梁牧师，谁是范牧师？我是 Kundel。哈哈，我们俩人的中华脸，在一群白人中绝对形象突出，赶快，我自报家门，然后做了一点小小的更正，我不是牧师，就叫我范弟兄好了。

"OK，你们饿不饿，我可快饿死了，你们取完行李，我们一起去吃午饭吧。"Kundel 说。带上行李后，我们走出机场大厅，她先生 Tvan 正坐在车里等候我们，一看我们来了，急忙上前问候，握手，还要替我们把行李放到车后舱。这哪成，老先生满头白发，看来至少 70 岁了，岂能劳驾。谢了，我们自己动手。

开车。Tvan 说："我们还得开回家，开上另外一辆大面包车。"

"为什么？"我问。

"哦，那里头装满了吃的东西，供大家在营地吃。"

到了他们家，匆匆看过他们美丽的花园后，两辆车同时开，先到一家中餐馆，吃个便饭。他们告诉我们，星期六和星期天的晚上饭，我们都在这家中餐馆订好了，他们会把中餐送到营地。我明白他们的心意，参加会议的中国人不能连续几天吃西餐，因此，他们得来几顿中餐。

路上，Kundel 告诉了我们关于他们自己的故事。他们夫妇退休了，多年来，他们一直在国际学生会中作志愿者，每星期五晚上，和国际学生一起唱诗歌，学习圣经。Kundel 还给大家弹钢琴。聚会前，大家先吃饭，七十多人的晚餐，都是不同教会的兄弟姐妹准备的，这次这个教会，下次那个教会，在自己家里做好了许多饭菜，带来，和学生一起吃。

我一边听故事，一边看路边的风景，车出了城市不久，就进入山道，山不高，路也不陡，只是很长，两边漫漫的山坡上，长满了松树，有的松树被砍倒了，整齐地放在路边。长空碧蓝，干净地就好像刚刚洗过一样，几朵白云，慢慢地游荡。

不知道什么时候，我睡着了。一直到听见大家喊，鹿。我才醒了，笔直的松树干间，两头小鹿正在慢走，它们的尾巴是灰白色的，半卷着，宛如梦。小鹿回头看了一眼我们的车，转过身子，加快了脚步，两道灰色的影子慢慢地就消失在厚重的绿色之中。

营地在群山环抱之中，几英里内，见不到一户人家，只有弯曲的山路，笔直的翠松，一条小溪哗哗地流着，流进了一个小湖中，湖水中倒映着蓝天、白云、松影，几只野鸭子在水上玩，打碎了云影，打碎了松影。

我在厨房见到了这次华人退修会的主持人——凯文。厨房中的两个特大号的钢锅，正煮着茶叶蛋，香气充满了房间。我猜凯文的年龄，44？哈哈，几乎不差上下。他说，这次会有将近 120 个大人参加，来自附近不同的州，但有的竟然是从科罗多拉一路开来的，开了 6 个多小时，还有的是从堪萨斯城来，开了 13 个小时。从芝加哥开来的，恐怕就要 20 来个小时了。

我问凯文，你作大学生福音工作几年了？

他说，7年了。

哦，那你以前做什么呢？

我是电脑工程师。工作18年了。

你是否在意告诉我，你前后的工资有什么差别？

没关系，凯文说，以前年收入6万5千美金，现在2万9千。

到底是什么促使你放弃了原来的工作，而来到大学生中间传福音，这是我的问题。凯文告诉了我他的故事。

很多年前，凯文就在教会中帮助青少年，他从那个年龄走过，知道这个时期的年轻人最需要帮助。直到有一天上帝把一个重担放在他们夫妇心中，要他们为外国留学生服务，让留学生们听到福音。于是，他们就加入了国际学生会这个基督教机构。

20世纪80年代中后期开始，大陆留学生是来美留学生中人数最多的一群，当然了，也是相信无神论最多的一群。

凯文夫妇开始寻找地方，看上帝要带领他们到哪一个城市去工作，上帝要他们到哪里，他们就准备到哪里。他们去了波士顿、丹佛、芝加哥等城市，但都没有找到合意的地方，因为他们希望在大学附近找到一所大房子，把它办成学生之家，大学生可以走到那里。就在这时，在Ripid City有一所大房子，有人要送给他们，房子有5000多英尺，地点就在两所大学的中间，走路就可以到。房主要免费送给他们，一分钱不要。因为房主是基督徒，知道凯文夫妇要做国际学生的工作，就赠送给他们了。

就这样，在这个大房子里，开始了星期五的学习圣经。有十来家美国教会支持他们的工作，准备食品，教英文，学圣经，以及祷告。来自二十多个国家的学生在这里争论，学习，交朋友。有的新生一时间找不到房子，就在这里住下，或长期或短期。

范弟兄，真奇妙啊，许多国际学生是在这里第一次开始了解基督教。有位穆斯林学生说，没想到基督徒还这么仁慈。另外一位说，当你手拉手一起祷告时，你就很难恨一个人了。

上帝之爱，这是最可怕的武器了，我笑了。然后，我又问，凯文兄弟，告诉我，你在这些工作中遇到的最大困难是什么？

凯文想了想，说一开始募捐的时候，太难了，从来没有做过。但感谢上帝，他充足地供应了我们的需要。你看，我开的这辆大面包车，就是一个销售旧车的弟兄给我们的，还修理好了，我们根本就没有想到。还有一次，我们到一个日本人的教会，日本牧师给了我们一个信封，里面装了 800 美金。我们之前根本就不认识。就像这次营会，好多兄弟姐妹志愿来帮忙。

多少志愿者？ 30 多人，多年来一直都靠兄弟姐妹帮忙，只有我们夫妇是全时间作福音工作的。

我看了一下，志愿者有高中生、大学生，还有中年人、老年人，他们打个招呼后就去忙了。这些志愿者中，有一位华人，姓张，女性，来自台湾，在美国居住多年，这次她又从科罗多拉赶来帮忙，她也是帮忙多年了，带领大家唱歌。几个星期前，她嗓子哑了，今天刚刚好一点，她对我说，范弟兄，替我祷告啊，让我明天能够好好地领着大家唱诗歌。

好的。

2007 年 5 月 26 日于营地

【网友评论】

耶稣用牺牲的爱吸引人来到他面前。

——卡秋莎

其实据我所知，很多来中国贫困地区的"洋雷锋"，其实就是这种志愿者。只是媒体上故意回避开这个问题，不说罢了。

这值得其他的宗教深思：如何让人群接受自己的信仰？

——猎人在家

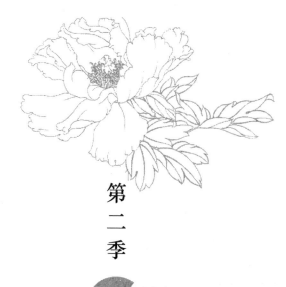

第二季

以下故事，都是夏天发生的。这是开花的季节，万物充满生机。只有在自由的心灵中，民主之花才能尽情地开放。

最能反映中美生活不同的小地方

来到美国多年后我才明白，往往是那些最简单、最普通的东西，却是最难学也最不容易普及的。这些小地方，形成了一个公民的生活空间，让公民们可以在这里自由地呼吸，有人性地生活着。正是这些小地方，最能反映中美两国文化所造成的不同。

我说的全是芝麻大的小事。不过话又说来，老百姓住家过日子，哪有那么多大事呢？

今天早上8点40分，我赶到了芝加哥俄亥俄国际机场，我叫出租车往前面靠一点，靠在一个小亭子的旁边。大概是从去年开始，机场在检票大厅的门外（七八个这样的大门），分别设了一些小亭子，要是托运行李，在这办理就可以了，不用费力拎进大厅里，每一件托运的行李，两美金的手续费。我今天准备托运两包书，于是，就在人行道上排队。我前面有一个人，也要托运两件行李。

两个服务人员在这里，一个帮助我前面的顾客，另外一位站在亭子前。正在忙活的这位突然对那位喊，杰克，请来帮助这位顾客！杰克急忙过来，诚恳地对我说，我向你道歉，让您久等了，我以为您和那位乘客是一起的。我很吃惊，他居然说的是"道歉"，而不是"对不起"，并且，我站在那里还不到一分钟。

我一边说，没关系，一边把驾驶执照递给他，他仔细地看了看我的驾照，问我去哪里？我告诉了他以后，他回到计算机前，不一会儿，就把我的登机票给了我。然后，拎起我的一包书，到电子秤前，说："对不起，我需要看看它会不会超重。"他把包放在了秤上，数字显示，43磅。接着，又拿起第二个同样大小、同样包装的包裹放上，41磅。最后他微笑着对我说："祝你有一个愉快的旅行，祝你有一个愉快的长周末。"

这个周末叫长周末，美国人过劳动节，比平时多放一天假。

过安全检查的时候，按照规定，我得把手提箱中的手提电脑拿出来，放在一个塑料盒子里，然后放到长条桌上。当我把在长条桌上的塑料盒向前推时，推的劲过大，盒子一下子翻到了地上，电脑也跟着摔在了水泥地上，吓了我一大跳。后来坐到了候机的椅子上后，第一件事就是启动了电脑，还好，一切正常。

我今天有点急了，急了就容易出事。前年也有这么一次类似的事，手提箱通过安全检查之后，我穿上鞋、拉上箱子就快步如飞。飞了还不到十来步，一位中年的白人男子跑过来说："先生，您的钱包！"

妈呀，怎么搞的？连钱包都忘记在那里了。"非常感谢你。"我对那位先生说。

有趣的是，过了一两个星期，我又是乘飞机，又是通过安全检查，我站在输送带等着拿手提箱等随身的东西，在我前面的那位，也是穿上鞋提起箱子就快步如飞。突然，我看见在我的手提箱前有一个小盒子，里面装着一块手表。肯定是他的。我赶快追他，喊："先生，您的手表！"他跑回来，一边匆忙地戴上手表，一边说："非常感谢你。"

跟我上次说的一个样。

飞机正点起飞。飞了一个多钟头后，我上厕所。厕所里有人，我就在旁边等着，过了大约5分钟，厕所门从里面推开了，轻轻地碰到了我。从里面出来的女士连忙说："对不起，对不起。"

我赶紧说："对不起。不是您的错，是我的错。我站得离门太近了。"

进到厕所里面一看，马桶盖盖好了，洗手池子四周一滴水珠也没有。

我方便以后，也把掀开的马桶盖盖好，洗手时，也注意不让水珠四射。

推开门要出去，一位妇女正站在门口，挡住了路，她看到我出来了，一边退，一边说："对不起。"原来，过道上，空姐正推着车送水，挡住了她回到座位上的路，她微笑着示意我先走。

"谢谢。"

两天后，在返回芝加哥的飞机上，我又上厕所。完事后关好厕所门，正要回到座位，迎面一个小伙子走来，离我有四五步远，他一看到我，就停住，让到了旁边放茶水的房间。我示意他过来，他示意我先走。我走到他旁边时，他给了我一个灿烂的微笑，我以笑还笑，笑后还很开心。

小到不能再小的事了，就是说五个字："对不起"、"谢谢"，这就是文明，它建造了一个公民交往的美好空间。

2007 年 8 月 31 日夜里十一点于旧金山

【网友评论】

冷漠、自私是人类的生活保护色。但背后的心灵是脆弱的。

——应县木塔

虽是小处、小节，但却是心态上的天壤之别……嘻嘻

——07222147361

罗马不是一天建成的，我们误入歧途并不意味着永远达不到终点线。

——zjf77777

方周，何许人也

一

2002 年年初，一个朋友告诉我，说有人把我的文章贴到"吉大校友论坛"上了。我毕业于吉林大学哲学系，自然是校友，听说有"吉大校友论坛"，很高兴，赶快上网去找。一个网盲，费了九牛二虎之力，终于发现了它，并查出了贴我文章的网友 ID 叫方周。他贴的是我发表在《海外校园》上面的一篇文章《谁吹皱一池春水》。

方周，何许人也？我好奇了。于是，也注册了个 ID，登陆了。从而开始了我在网上写东西的历史。

去了吉大校友论坛不久就发现，偌大个吉大论坛，只有两个基督徒，其中一个就是方周。令我对方周感兴趣的是一件小事。有一次，几位校友在网上评论基督徒，有人不客气地说自己见到的几位基督徒真不怎么地，道德水平跟普通人一样。但另一位老兄却说，方周例外，说基督徒要是都像方周这样，他也就信耶稣了。当然了，他又说，方周这个人本质好，不信主也是个大好人。

这就使我真想好好了解方周了，几经了解，又通了电话，才知道方周原来是笔名，里面藏着他的姓，一个周字，他姓周名刚。哪曾想到，由于看到周刚在网上经常使用方周这个笔名，我倒经常把他的真名忘记了，打电话时，也老是方周长、方周短的，连周弟兄也很少叫。

周刚是我的校友，我 1978 年上吉林大学哲学系时，他正在计算机系学习，长我一届。我们同在一个楼里住过，彼此肯定打过照面，但不是一个系的，又都不是名人，看过也忘了。

一晃，20 年过去了。

要不是因为耶稣基督，我和周刚将永远是陌生人。

我们的第一次见面是在 1999 年。那时，我已经是一个传道人了，有一次去了新泽西州主恩堂布道，在讲道中，我顺便问了一句："今天来的朋友中有吉大的校友吗，请举手好吗？"有几个，其中周刚也举起了手。他住在新泽西，听说我布道，就赶来了。布道会结束后，他看一群人围住了我，就走了，然后，我也走了。再然后，他把我的文章以校友文章的名义转贴到了吉大论坛上，校友还有这个好处，我开眼了。

就这样，我与周刚由网友而知是校友，又由网友、校友而成主内的兄弟。

二

通过认识周刚，我开始对网络有了一点概念，又知道他经常上一个叫做"彩虹之约"的网站，他劝我也去看看，说那是一个基督徒的网站，于是我就上去了。上了网之后手就有点痒，想写点什么，于是就与他商量，把我的《我为什么不愿成为基督徒》一书贴上去如何？他说好啊。于是我就准备贴了。这时，得到了周刚的系友笔名叫老椰子的建议，说论坛上贴的东西不要太长，一次一个屏幕那么多就行了。这样，我就把那本书分割成了九十多段，一段一段地贴到了吉大校友论坛上，后来，又贴到了彩虹之约上。

上网，对我这个笨人兼网盲来说，技术问题比比皆是，于是，我就经常打电话骚扰周刚，无论什么时候问他，他总是耐心地回答，说话也总是和和气气，惯得我就敢得寸就进尺了。以后，一遇到不知道如何把我用繁体字打出的文章转成简体字，我就常常找他帮忙，每一次，他都帮忙帮到底，不但替我转好了，还问我是否能读出来，不行，他再替我弄。为了减轻我的愧疚感，他还说他干这些事很快，不麻烦。其实，怎么可能不麻烦呢？谁的时间都是一天二十四小时，他也有家，工作和教会中的事又是两大摊子，自然要忙，不抽出时间来，如何能帮助我。我也清楚，他这么帮忙，不但是出于好心，也是由于他把传福音这件事一直放在了心上，他是和我一道传主的福音。

不久，我告诉他我要去美国南方传福音，行前，我看到他在吉大论坛上写了一首小诗为我送行，其中说：

我的心随你同去，

默默期盼

天国的路上，

你我一同奔跑向前……

在天父的宝座前，

高唱哈里路亚。

再也没有，

当年不曾相识的遗憾。

这么多次出远门传福音，这是第一次有人写诗为我送行。我读后很感动，我知道，我不孤单，我的兄弟会用他的祷告和我一起随主前行。

三

后来我偶然地发现，周刚也外出讲道，但他却从来没有向我炫耀、夸口过，甚至根本就没有提过。我知道的主要是他经常在网上写一些东西，传福音。他讲话的态度和气，得到了一些网友的称赞。而我最欣赏的则是他的翻译。他是学理工的，却翻译一手好文章，并且经常翻译一些好文章贴到网上。眼下，他正在翻译邦兹（E.M.Bounds）论祷告的一本大书。我经常催他，好好地翻，快快地翻，多多地翻，对于造就华人的教会来说，这书是一件大事、美事！

我到美国东部传福音的机会不多。从 2002 年下半年开始，我就向主祷告，盼望主能给我一个机会，让我到新泽西和纽约去传福音。当然，这里有一个私心，就是想亲眼看看周刚和他的家人。没有想到，这样一个有点自私的祷告，主竟然也很快地答应了。就从 2002 下半年开始，我陆续接到了一些邀请，2003 年上半年，我有四次到新泽西和纽约布道的机会。

今年 3 月 16 日下午 4 点 30 分，我终于和周刚相会于新泽西的 Newark 机场，他开车来接我，他人还在车里，我就认出来了，跟他在校友专栏中的照片很像，只是老了一点。也难怪了，都是三个孩子的爸爸了。三个孩子，不是小数目。当我握住他的手时，看着他的眼睛我就知道了：这是一个好弟兄。

当晚他送我去若歌教会的乡音团契分享我的信仰体会，回来时，已经是十点多了，我和他们夫妇又聊了一个多小时。在我休息前，他们夫妇一同来到了客房，说："学德，我们一起祷告好吗？"我们一起跪在了床前，彼此代祷，特别是为我明天在纽约的布道会祷告。在祷告中我强烈地感受到，兄弟姐妹一起同心祈祷，这是何等地美好，何等地有福啊！

四

早就听说周刚以模范丈夫而著称。耳闻后且目睹，信了，服了。礼拜天那天讲道结束后，他和妻子小杜来接我，顺路到法拉盛的华人商场买一些东西。我们兵分两路，我和周刚先回到了停车场，站在车门前聊天，十来分钟后，小杜从另一个街角过来了，手里提了两个小塑料袋，里面装了一些食物。周刚居然小跑着赶过去，把东西全部接过来，提着，一直到把它们放到了车里，还说，太太辛苦了。光是这一条，我就服了，这辈子也学不到家。

这又使我想起了礼拜六早上的一件事，一大早的，小杜就起来为我煮了金银饭（大米和小米混着煮的稀粥），我边喝边说太腐败了，在美国吃上这样松软的稀粥，实在是太腐败了。而周刚则说，小杜做的确实是好吃。我笑了，说："周刚，别看你老实巴交的，夸老婆还真有几下子，表情也非常自然的，挺现代啊。"

周刚作为模范丈夫大概真成了标杆。他们教会的兄弟姐妹居然把他们教会的另一个模范丈夫，笑称为"周弟兄台湾版"。我问周刚，真的是这样吗？他笑而不答，我说："你可有版税收了。"

一个月后，我又来新州，又是周刚接我，我又想起了模范丈夫这个话题，就问他："你和小杜从来不吵架？"

他说："哪儿能？不过我火小，很少吵。"

"你就没有想发火的时候？"我又问。

"怎么能没有？"他又笑了。还没有等到我问他是怎么消火的，周刚居然主动把秘密全泄漏了。他说："一看我真的生气了，小杜就哭了。我一看到她哭了，心就软了，没火了。"

水能灭火或者水克火，竟然在吵架上都适用，我只好连连暗叹，妙极了。

周刚又接着说："当然了，还是得靠神的力量，多多祷告。"他又告诉我，他属于脾气好的那一类男人，从小到大，都不大会发脾气，所以，在学习顺从神的这个功课上，他没有像有的弟兄那样深刻地经历了在神里面如何对付自己。

我笑了："你还挺谦虚的，能继续进步了。"

方周是 1990 年信主的，他是怎么走过这十多年的路程的呢？我还没有详细问过。但有一件事，使我知道了他生命成长的秘密，那就是他热爱神的话。那是我第二次到新州的时候，礼拜五的晚上，他带我去教会查经。在开车去教会的路上，周刚笑着对我说，老范，我最喜欢查经了。当他这么说时，我仔细地看了一下他的脸，那是张真诚的笑脸，上面充满了喜乐。

2003 年 6 月 5 日

【网友评论】

呵呵，他乡遇故知。

——howd

读到这里我不由想起前不久看过的迪斯尼电影《恐龙》，当时我在观看时就有点惺惺相惜的感觉，咱们人类不就挺象那一群恐龙嘛？卡尔·萨根说得好："在这个因为爱和深深的道义而显得如此精美的世界上，我们没有理由用一些没有多少证据的美丽的故事来欺骗自己。对我而言，更好的是在我们意识到生命的脆弱之余，用我们的双眼面对死亡，并且每天为短暂的生命所提供的如此丰盛的一切而由衷地感激。"

话又说回来，人即便有了永生又如何呢？永远地跪下崇拜上帝，聆听地狱的哭泣吗？

——铁帐帽子王

刘志雄家中的年轻人

一

今年六月最后的一个周末，我又要到新泽西布道。一个多月前，我就与刘志雄约定，这次来，得见他一面，在他家住上一夜，好好聊聊。志雄爽快地答应了。没想到，我临行的前一天，周刚打电话告诉我："志雄家这个周末突然来了几个客人，家中满员，你干脆住我家算了。"

没说的，好吧。

我与周刚是校友，三个月前，我去纽约布道时，曾住在他家中。也就是在他的大力推荐下，我在他家看了刘志雄和他妻子王爱君合写的一本书——《牵手一世情》。我看这本书原来是准备在睡觉前放松一下神经的，因为市面上这类讲夫妻关系的书实在不少，也大都挺相似的。没想到，一翻开书，就放不下了，睡意消失，一口气读到了下半夜 3 点。于是，就产生了见作者一面的愿望。周刚和刘志雄挺熟，请他给我引见。

约好了 6 月 27 日，礼拜五，在刘家见面。但刘志雄给了我一个任务，说那天他们家中有一个青年人的聚会，我可以讲一讲。

"讲什么？"我问。

"看圣灵怎么带你吧。"他答。

周刚去机场接我，又把我送到了刘家。在车上我就捉摸这刘志雄架子大不大，因为看他的书我知道了，按照社会标准，他是一个成功的人，博士、老板、大牌的讲员，世界上各个地方去讲。虽然周刚告诉我志雄挺平易近人的，但我还是想眼见为实。

我们赶到刘家时，刘志雄正站在院子里和人说话。我们走过去打招呼，他先赶快说对不住，今天家里临时来了客人，不能留我过夜。接着，我们简单地谈了几句，话虽不多，也都是家常话，但却使我感到，他的确没有老板的架子。第一印象，不错。

我看到有几个年轻人过来，直接穿过草坪就打开了刘家的门，当然了，大都问了刘叔叔好，还有一辆车，把个高中生模样的小伙子放下后，一转眼，又开走了。

"志雄，你从哪里弄来这么多年轻人？"我问。

"他们自己来的，这个带那个，朋友带朋友，就来了。"志雄答。

啊，原来是这么回事。

我也跟着进了刘家。开门后大吃一惊，满屋子的年轻人，一片笑声、高谈阔论声和悄悄私语声。

聚会开始时，我坐在最后面，紧靠着墙壁，顺便查了一下这黑压压的一片人头，好家伙，五十多个。有的看上去十七八岁，有的看上去只有十一二岁。二十四五岁以上的，没有几个，很明显，他们是来帮忙的。在这一大群年轻人当中，我不想当叔叔都不可能了。

主持聚会的小姐妹二十岁上下，讲一口地地道道的国语（普通话）。这么年轻的 ABC（在美国出生的华裔）和 OBC（在海外出生的华裔）聚会时竟用国语作为官方语言，我很少见到。使我更吃惊的是，他们的第一首圣诗是用英文唱的，而第二首和第三首竟然都是用中文。大家还都会唱，难道他们都认识方块字？奇了！

然后是祷告，自发的，谁有感动谁就开口，一个个都用国语，这一个祷告结束了，另一个接着祷告。每一个人祷告结束后，众人都同声地"阿门"。听他们祷告，我就在心中不断"阿门"。在美国这么多年了，这么一大群的黄皮肤的年轻人，用充满了青春气息的普通话来向上帝祈祷，我是第一次听到。听起来真美，真亲切。

论到我讲了，讲什么呢？就讲讲自己人生的体会吧，我告诉了他们四点体会：

第一，有信仰比没有信仰好，而对主耶稣基督的信仰则是好得无比；

第二，不要"吾从众"，随大流，要走上帝要你走的那一条路——那才是你自己的路；

第三，尽管在生活中自己的某些愿望无法得到满足，甚至永远也不可能得到满足，但我们仍然可以过一个平安喜乐的生活；

最后，只要我们活在基督里，那么，没有一次失败能成为最后的失败。

他们这么年轻，日子过得大概都是阳光灿烂的，能理解我说的这些话吗？不管了，我只想作为一个过来人，与他们推心置腹。

二

我的短讲结束后，他们分小组讨论。我也参加了一个小组。在上楼的前后，我略微打量了一下刘志雄的房子，房间不多，不大，更不豪华，是地道的民宅。

我们那个小组在一个卧室里坐下。有个 25 岁上下的弟兄说，他还挺软弱的，没有经常参加主日崇拜，但刘叔家礼拜五的聚会他一直来，他喜欢来到这里，觉得很亲切。接下来两个发言的都是高中生，他们都来自大陆，到美国的时间都不长，但都信主了。有位一开始只是出于好奇，到教会看看，但弟兄姐妹的爱感动了他们，然后，他们又在这里的聚会中遇到了同龄人，于是，就一起追求信仰了。

最后一位讲的兄弟，是中年人。他讲到自己青少年时代如何坏，但主耶稣还是怜悯了他。他来到这里就是想作这些年轻人的朋友，帮助他们生活在基督里，千万不要走自己的老路。

小组谈论结束后，他们开始吃点心了。我问点心是谁做的？他们说，有的是自己做的，有的是家长帮助做的。

趁着大家吃点心，我把刘志雄从几个年轻人中拽出来，想和他聊几句。我对今天晚上的聚会太好奇了，这一切到底是怎么回事？

在志雄的书房中，我直截了当地问"你们家是什么时候开始这个聚会的？"

他想了想，说："大概是八七或者八八年吧。"

"一直在你们家？"

志雄点头。

"每个礼拜五？"

志雄又点头。

"平常都是这么多人？"

志雄说："有时少点，有时会还多些，有六七十人。"

天哪！我在心中暗暗惊叹。十四五年，一年五十多个星期，每次四五十人，而且大都是年轻人，这得付出多少心血啊。

在回去的路上，周刚还告诉我，说志雄他们家一年到头不断人，经常有年轻人因种种原因临时住到了他们家。我这次之所以无法在他家住，就是遇到了需要他们帮助的紧急情况，他们家里全住满了。

来到刘志雄夫妇家里的年轻人，什么样的都有，远近不一。有的甚至开两三个小时的车，就单单为赶到这里参加聚会。在这里聚会了一段时间后，这些年轻人大都信耶稣了。聚会才开始的头两年，信主后的流失率很高，只有约百分之二十的人继续留在教会中，而现在，大约百分之八九十都留下了。

三

刘家怎么开始这个聚会的呢？这是一个很有趣的故事。

十四五年前的一个周末，刘志雄夫妇请一个朋友带他们的孩子去教会的年轻人团契。那个朋友从台湾来美国不久，正孤单，于是带着四个孩子就去了。但他们去了一次后就再也不见人影了。原因刘志雄一下子就猜到了，肯定是他们英语不太灵光，到了那一堆满口英语的人当中，除了听到几句"嗨"之外，就没话了。情况正是如此。

刘志雄夫妇知道这个原因后非常痛心，他们就在主耶稣面前切切祈祷，在祷告的过程中，上帝就把一个感动放在了他们心中：要他们在自己家中开始一个讲国语的聚会，帮助这些年轻人。他们和孩子们一同祷告，于是，这个年轻人的国语聚会就在他们家中开始了。从此后就再也没有停下来，也停不下来了，因为一个又一个年轻人把自己的朋友带到了这里，这些年轻人都需要帮助，需要耶稣基督。

"你们的聚会有什么特点呢？"我问刘志雄。

他毫不犹豫地告诉我："我们没有什么花样，到我们这里来的，我们就是教他们神的话。他说，其实年轻人到这里也很清楚，他们不是来玩的。我们要是靠娱乐来吸引他们，肯定我们玩不过外面的世界，那里什么样的吃喝玩乐的花样都能玩得出。我们要提供给青年人的，必须是外面的世界不能提供给他们的东西：这就是神的话，是我们在基督里彼此接纳，彼此相爱。"

这一群年轻人的聚会以查考神的话为主，并且是年轻人自己带。为了更好地帮助年轻人在神的话上扎根，刘志雄夫妇每周举行一次预查，和将要带领查经的年轻人一同查考圣经。

"你们为什么以国语为聚会的官方语言呢？除了吸引一些才来到美国英语又不太好的年轻人外，还有什么考虑？"我笑问志雄。

刘志雄的回答大大出乎我的意料之外。他说，他想到的是华人教会的未来。这些 OBC（在海外出生的华裔）由于才来美国时吃透了英语不好的苦头，所以，许多人上了大学之后，就恨透了中国文化。并且，由于不再想在华人教会中作二等公民，有的甚至从此就离开了教会。但如果他们在起初的时候，就在教会中被接纳，少吃些苦头，将来他们就可能成为连接中国文化与美国文化的桥梁，因为他们两边都懂。更重要的是，等到他们毕业后，如果上帝召呼他们，他们就可以在教会中服事，把这第一代移民和 ABC 联系起来。

"怎么能达到这个理想状态呢？"我问。

刘志雄的看法是，从这些年轻人一到教会开始，就让他们同大人一起敬拜神，不要专门为青年人另搞一个什么英文堂。

我不知道刘志雄的这个见解是上策还是下策，但说他是惊人之论，肯定不为过。

这行得通吗？我有些疑问。因为我看到了许多教会中的英文堂和中文堂彼此关系的微妙和复杂。但我又想到了几年前，曾经应王国显老弟兄的邀请，到旧金山参加了一次聚会。有一件事给我留下十分深刻的印象，我的几次布道都是由 ABC 和 OBC 翻译的，并且，整个聚会过程中，他们始终是一体的，只是中文与英文互相翻译而已。

在我和志雄谈话的过程中，他妻子爱君几次进来，打断了我们的谈话，因为他们有要紧的事情商量。我在旁边听到，好像又是有什么青年人需要帮忙。

于是，我也不好意思与刘志雄长谈了。志雄一再说抱歉，因为前两天从纽约来的一个年轻人需要帮助，得在他们家住上半个月。另外，还有外州的几个学生今天要留在这里不走了。他们是从这里出去的，趁着放假，又回来"探亲"了。

我离开时快到十点半了，我看各个屋子里的年轻人还在热烈地交谈，并且，又看到了一些小孩。"怎么这么晚了还有小孩来？"在回周刚家的车上，我问周刚。

周刚说："他们可能是和哥哥姐姐一起来的，但一开始时被送到了别的弟兄姐妹家，由其他的弟兄姐妹照料。"

噢，为了帮助这些年轻人，竟有这么多的弟兄姐妹在默默地奉献。

2003 年 7 月 15 日

【网友评论】

以前也看范大哥的帖子，有的赞同，有的不以为然，原因大概也多是因为你宣传基督吧。

最近我看了一本书《光荣与梦想》，据说是美国的断代史，大概您也看过吧。

我看的是国内翻译的，想了很多，最给我印象的是美国也不是生来就强大的，我国过去现在面对的问题美国也曾经面对过，现在看来，美国是成功的，他不断克服困难，不断进化。我想这并不能归功于政治英雄个人能力的高超，而应该归功于整个社会的鲜明的是非善恶判断标准。这里面宗教的作用不言而喻。

所以我现在才能完全理解你的文章在说什么，做什么。向你致敬。

——wanna

我有幸听过刘志雄现场讲道。他讲道结束后，就被人包围了。他认真回答每个人的问题，以致又耽搁了1个多小时才回去，而他的脸上满是微笑，一点都没有不耐烦的感觉。

——howd

再别戚洪

一

戚洪和陈明嬿一家要搬到圣地亚哥去了，我们小组开了一个欢送会。会上，不善言谈的戚洪告诉大家，他来芝加哥已经6年了。

这么快吗？大家都挺吃惊的。一算，可不是呗。1997年8月，他们一家从康州来到了芝加哥，今年是2003年，整整6年，并且还是8月。6年前他们家来芝加哥时是一家三口，离开时成了四口，添了一丁，儿子，名字叫睿寒。一女一儿，台湾人说，合起来正是个好字。还有就是六年前他们家一个基督徒也没有，现在3个。

6年前，9月中旬的一个礼拜天早上，我们一家人开车来到了教堂。下车后我在停车场上还没走上几步，就看见了一个熟悉而又有点陌生的面孔，他抱着一个小女孩也正向教堂走去，旁边还有一个女人。"戚洪！"我惊喜地大叫。戚洪也看出了我和我妻子："老范……"

我们的手紧紧地握在了一起。

一晃，我们已经有十二三年没见面了。

"戚洪变了！"这是我的第一印象。十多年前，他还是一个年轻英俊的小伙子，正在沈阳药学院读研究生，光棍一个。而现在，他虽然个头还和当年一样，精干的样子也依旧如此，但却已经是人到中年，为人夫、为人父了。细一想，暗暗发笑，戚洪看我何尝不是如此，当年，我刚从大学毕业分配到沈阳药学院教书，也是一个光棍，后来成了二人世界，如今，已是四口之家的家长了。

"这是我妻子陈明嬛，我女儿睿云。"戚洪介绍了他身边的两位女性。

我高兴地说，太高兴看到你们了！太好了！来我们教会吧。

戚洪抿嘴微笑，我们这不来了嘛。

从那以后，他们一家就来了。来了，就不走了。6年一晃就这么过去了。来时，他们都没去过教堂，走时，他们首先想到的就是到了圣地亚哥要找一个教会。在小组送别会上，陈明嬛高兴地宣布，他们9岁的女儿睿云，也决志信主了。礼拜天，王贵恒牧师将领她作决志祷告。

二

今年年初，我到康州布道，见到了戚洪过去的一些同事，我告诉他们，戚洪信主了。他们听后大惊。真的吗？他们在这里可从没来过教会！

戚洪来美国读了博士，又在康州的一家大药厂找到了一份很好的工作，做得挺不错，当了个小头头。就这么，在康州一待就是6年。可这6年间，他们连一次教会也没有去过。他们住的附近没有华人教会，美国人的教会倒是有，但他们没看在眼里，更没放进心里。虽然他们也认识一些华人的基督徒，但总觉得那些人离自己太远，格格不入，更何况，他们也没感到有去教会的必要。

回忆往事，戚洪颇有感慨地说，在康州住了6年，一直觉得没根，当年换工作，说走就走了。不像这一回，难舍难分。大人难分，小孩子就更难分了。这几年下来，孩子们都成了最好的朋友了。

真是这样的。半个月前，我在车上随口说戚洪叔叔要搬家了，我8岁的女儿鹿鹿一听就喊："我不许他们走。"然后大哭，边哭边说："我恨戚叔叔的公司，它为什么关门了？"又说："睿云是我的好朋友，她就像我的大姐姐似的。她走了，我会想她的。"说完了，接着大哭。

我们几家为戚洪一家践行的那个晚上，在门口告别时，鹿鹿抱着她的大姐姐睿云哭成了个泪人。开车之后，戚洪的儿子小睿寒，刚才还生气不肯跟说大家再见，突然回过味了，哭着说："我要下去跟鹿鹿姐姐再见。"

是神的家——教会把我们的心连到了一起。

三

"我非常非常感谢神把我带到了教会！"这是戚洪说的心里话。他这话代表了他们全家的心声。戚洪来到芝加哥后，终于想到该去教会了。但他对教会一点概念也没有，教会在哪里也不知道。

他正好遇到了在同一个公司工作的喻水阳，水阳是我们教会的弟兄，恨不得全天下的人都来教会，信耶稣。一听到戚洪问华人教会，马上就说："好哇，就来我们教会吧。"并且，不知道他们谈话时在哪个地方拐了一个弯，喻水阳知道了戚洪和我们是校友，立即跟进："老范你都认识，你更得来了。"就这样，来到美国多年后，平生第一次，戚洪和陈明嬿走进了教堂。

我猜想，他们当年也没想到，跨出这一步，就成了一个转折点。用戚洪的话来说，他没有想到他们在芝加哥居然扎下了根，而且把这个根扎在了教会中。

陈明嬿笑着告诉大家："我第一次听老公说要来教会，还把他'臭骂'了一通。发什么神经啊？我可是信佛的啊。"她信佛信了好多年，还是一位大师的弟子的弟子。可骂归骂，她还是来了。其实她自己也想来。

事情起因于他们有了孩子。明嬿虽然来自台湾，但和我们大陆人的想法差不太多，干什么事情，信的、靠的都是自己。并且，也自认为一直靠得住。直到她成为母亲，她才突然发现，靠自己靠不住了，不仅靠不住，还陷入了惊恐不安和忧虑之中。

自打女儿问世后，小睿云夜间经常做恶梦，一夜起来五六次，大哭大叫，弄得全家人不得安宁。医生看了，药也吃了，菩萨也念过了，但全没用。没有平安。明嬿在不安中来到我们教会。

四

我曾问过戚洪，你来美国那么多年了，为什么到了芝加哥才像明嬿说的那样发神经了，要到教会来了。戚洪挠挠头，笑了："我也不知道。"后来想了想，他说："也许是想认识几个朋友。人不能没有朋友，对吧？"戚洪是老实人，不会唱高调。

"明嬿，那你呢？"我又问。

明嬿回答得很干脆："最初是为了孩子。我承认，靠我自己，我保护不了自己的孩子。"

明嬿那时第一次感觉到，她不是不想保护孩子，不是不想给孩子以安全和平安，但是，她没有这个能力。心有余，力不足。她相信必有一个比她自己更有能力的能够保护她可爱的小女儿。只是她不知道这一位是谁。

教会的兄弟姐妹告诉她："这一位就是耶稣基督。"

她听了半信半疑。但出于母爱，她愿意为女儿付出一切。我告诉她说："你可以为睿云的噩梦祷告，求神医治她。"

于是，她就跪在了床前，为睿云祷告。一开始，她什么话也说不出来，就跪在那里流眼泪。后来，她开口了，她求神怜悯她，可怜可怜小睿云，医治她。

神真是听祷告的啊，明嬿告诉大家，不久，睿云半夜不起来了，也不哭了，孩子终于睡上了好觉，父母心中的石头落地了。

五

但还有另一块石头落不下去。那就是心硬，不信耶稣基督是主。

"我心硬啊，"明嬿说，"我虽然亲眼看到了神迹，但却没有立即相信那位施神迹的神。"她也不知道怎么回事，反正一时就是信不了，但至少有两点她知道了。第一，她喜欢来教会了；第二，她喜欢祷告了。明嬿说："我只做对了一件事，祷告。"

她需要祷告的事还真多，并且，都挺紧迫的。睿云虽然不做恶梦了，但不能自己上学，送她去幼儿园，每次她都哭成了一个泪人，得妈妈陪着，陪半天了，可只要妈妈一离开，马上就哭。妈妈不得已走了，她就小脸贴着教室的玻璃窗户一直向外看，妈妈一回头，看到的是一双泪眼，和那个贴在窗户上的可爱的小脸，心都碎了。但做母亲的又能怎么样呢？明嬿是一个很善感的女性，就这么让自己的心持续地碎了将近半个月。直到有一天，她想起了也要让女儿为自己祷告，就告诉女儿说："睿云啊，你不要害怕，虽然妈妈不和你在一起，但上帝和你在一起啊，你要祷告啊。"

那天晚上，明嬿去接女儿。小睿云兴奋地告诉妈妈说：妈妈，我今天没有哭。我祷告了。我知道神和我在一起，我不害怕了。

听了女儿的话，母亲又高兴又惭愧，喜的是女儿不怕生人了，愧的是自己太虚伪了，自己还不相信这位神是自己的主，但却把自己最心爱的女儿交托给了他，而他居然聆听了一个小孩子的祷告。

六

明嬿开始认真追求了。她一本一本地读圣经，一天一天地听慕迪电台的福音广播，每个主日，他们全家都落不下。而她也成了慕道班上的问题青年，她有问不完的问题，并且，不管谁带，她都问，一问到底。问来问去，还是似懂非懂。

就这么地，到了有一天。明嬿说那天她在开车时听到了慕迪电台播放的一首歌曲，歌曲的名字是什么？开头如何？结尾怎样？她都没听到，或者没听进去。她只听到了一句歌词，男低音唱的："I will be with you。"（我与你同在）

"神与我同在。"

听着听着，明嬿的眼泪就流出来了。她哭了很久，是欢乐，还是伤心，她弄不清楚，就是想哭。就像一个迷路的孩子终于看到了家，看到了母亲跑来拥抱她。

就在那一个时刻，明嬿信主了。

从那以后，将近 6 年了，她只再听过一次那个歌，是在她的灵性处于低潮的时候，她听得还是不知头与尾唱的是什么，还是只把那一句话刻在了心里："I will be with you。"（我与你同在）。

喜悦充满了明嬿的心，从来不知作曲为何物的她，竟然情不自禁地写下了一首歌曲，连词带曲，一气呵成。歌词是这样的：

救主耶稣何等恩典，为罪人双手钉痕，

救主耶稣何等爱怜，舍己身换人永恒。

他的血洁净我，救赎我不再沉沦，

他的爱感动我，充满我喜乐长存。

救主耶稣何等恩典，为罪人双手钉痕，

救主耶稣何等爱怜，舍己身换人永恒。

当别人夸她的曲子作得好时，她说，这不是我的，是上帝给我的。

七

信主后，明嬿学到了两个最重要的功课：第一课是，我看"你"，不看别人；

第二课是，我依靠"你"，不靠我自己。这个大写的"你"字，就是上帝，就是明嬚在祷告中与之交谈的主耶稣基督。

这两个课的奖品是，上帝赐给了他们一个儿子。

来到芝加哥后，睿云渐渐长大了，也不累人了，只是缺个伴。于是明嬚与戚洪商量，再要一个孩子。他们很有信心地按照自己的计划行事了，但一次次失望后，明嬚突然醒悟了，要依靠神。于是，她跪下来向神祷告，她说，神啊，求你原谅我。我没有一心信靠你。现在我把一切都交给你。

明嬚求神赐给她一个孩子。她告诉神，无论你给不给，我都顺从。

不可思议的是，祷告一个月后，她怀孕了。十个月后，一个非常可爱的小宝宝来到了他家中，名叫睿寒。

小睿寒是在我们教会中长大的，我们小组中的大人和小孩若是夸他的模样时，都叫他"小帅哥"；若是夸他的气质时，都叫他"小老板"。也不知道是谁给他起了这么一个雅号。其实"小帅哥"一点老板的架子也没有。就是生气时很好玩，小嘴撅得高高的，还皱起了个大大的眉头，瞪得圆圆的眼睛中，布满了怒气。有时他瞪着瞪着你，自己就噗哧一声地先笑了。

我永远也忘不了小睿寒的那一幅美丽的图画：那是一个周六的晚上，我们教会的布道会结束后，我开车载着全家人离开了停车场。经过教堂的门口时，突然，看到一个小脑袋出现在金黄色的玻璃上，正在朝外看。我的儿子羊羊大喊："是小老板！"女儿鹿鹿也跟着喊："小老板！小老板！"小睿寒听到了喊声，他晃着头看了两下，看到了我们，笑了。黑夜中，在金色的光线下，我看到了一张纯真的小脸，那张可爱的小脸上布满了甜美的微笑。然后，传来了一个清纯的童声："羊羊哥哥！"

那声音之甜美，是我无法描绘的，我突然愣住了，仿佛看到了小天使，亲耳听到了天使的声音。

小睿寒真的仿佛是天使，上帝派他来告诉他的母亲，上帝爱你，你要信靠主。自从有了小睿寒后，明嬚更信主了，她的生命也发生了显著的变化。她时而当着戚洪的面开玩笑说，你看我变得多好啊，都是模范妻子了。大家就起哄，说我们可不知道，这得让戚洪老实交待。老实的戚洪就点头说："是不错。是不错。"带小组的朋友们查考圣经，大家公认，明嬿准备得最认真，她还在教会中带领孩子们的主日崇拜，看着孩子们高兴地唱圣诗，我们真感谢上帝给我们这样一个有爱心的儿童主日学老师。

八

明嬿信主后，戚洪就成了我们的重点工作对象。

戚洪和太太不一样，他话少，并且从来不主动提问题。明嬿从慕道班毕业了，他就接着上，一期接一期，按时来，不提前走。来了就坐下，除非点到他头上，他从不多说话。就是点到了头上，他也只三言两语，"你们说，你们说，我好好领会"或者"我好好学习"。我看得出来，他听得的确挺认真，时而还点点头。

我们小组聚会，他们也次次不落。虽然他们家离我家最远，开车将近半个小时，但一般都是准时到，并且不空手，大多数的情况下，都带上一锅汤。我跟明嬿开玩笑说："别看你做饭技术一般，但这汤的味道绝对有水平，你肯下好料。什么油豆腐啊，香菇啊，肉丸啊，各样的海鲜啊，你统统往汤里扔，这汤怎么能不鲜。"

玩笑后我告诉明嬿："你很大方。"

小组聚会时，戚洪仍然是金口难开，但像在慕道班一样，叫他读圣经时，他不推辞，读得还挺认真。问他有没有什么事情需要我们为他祷告的，他习惯地把手举到脸前挥两下，笑着说："没有，没有。"

教会的活动他都参加，连春秋两季的大扫除，他也跟大家一块忙活。

他把教会当成了自己的家。

就这样，四五年过去了，戚洪还是来教会，还是没有信耶稣。我们心里还是替他急，但谁也没有催逼他，只要来就好。时间到了，水到渠成。

直到有一天我们教会的牧师王贵恒到戚洪家去探访。一谈，戚洪就信耶稣了，几个月后，受洗了。大家听到了看到了都很高兴，但也都觉得这是顺理成章。

其实戚洪也有自己的理，他从来就相信冥冥中有一个主宰，只是不知道他是谁。到教会几年，他终于知道了，这就是那位创造天地的主，就是救赎世人的主耶稣基督。他看到了，上帝离他并不远，就在他的身边。他从孩子的经历中，从妻子信主后生命发生的变化中，看到了那位一直爱他的耶稣基督。

就连在最近一次的买房子中，他也亲眼看到了上帝一直在保守他。他们已经看中了一个房子，很想买，但不知道为什么，拖拉了几天，就在他们准备去签字的前几天，他所在的公司突然被合并了，然后就是大裁员。就差这么几天。

并且，这不是第一个这样的故事。

戚洪说，信主后他和妻子明白了一个理，以前他们塑造自己的方法是，划出一个框框，把自己放进去，让我自己成为我生命的中心；现在要划出一个框框，把上帝放进去，让上帝成为我生命的中心。

听戚洪这么说，我们大家都放心了，我们相信上帝必与他们同在。我们在告别时除了说平安之外，还渴望他们一家能够成为多人的祝福。

2003 年 8 月 28 日

【网友评论】

其实人是很脆弱的，无论在能力上、在情感上、在理智上，人都是靠不住的：一个小小的病毒，就能把人折腾得死去活来。情意千斤，敌不过胸脯四两。谁都知道少吃油炸食品、多锻炼对身体好，但是面对美食和安逸，大多数人都会变得不淡定。

只是太多的人都不承认自己的有限，总是掩耳盗铃，觉得自己什么都能做。文中的妈妈能坦然承认自己的有限和无助，并且向教会求助，真是非常明智。

——howd

上帝与我们同在，与那些软弱的心灵同在。如果你信了它，精神有所依附，不再漂泊无根。中国的佛教不也是信仰的一种吗？好像不能同时信仰两个教。

——王的说

夏令营：在爱中得自由

7月1日是美国独立日前的星期五，美国人称为长周末，多放一天假。一些美国人选择这个周末度假去，也有的进行其他活动。

星期五上午9点钟我就离开了家，乘飞机到俄亥俄州的哥伦比亚城，参加2005年中西部华人基督徒夏令会。哥伦比亚城离芝加哥很近，只需飞一个小时。到达后，余牧师夫妇就请我吃午饭，饭后休息了一个小时，托尼兄弟开车把我们几个人载到了夏令营的所在地。他开了将近一个小时的车，我迷迷糊糊睡了一路。

夏令营在一个大学内举行，这是一所基督教大学。

一到暑假，美国的大学就空了，于是，社会各界所举行的一些活动，往往就租大学的会议室和宿舍进行。当然了，要给钱，但比旅馆便宜多了。就像这次夏令营，一个人如果参加三整天，一个床位才48美金，伙食费，36美金，是自助餐，饮料和水果都包括在内，随便吃。

我到的时候，注册报名正紧张地进行。十多位身穿黄色体恤衫的基督徒——志愿者正紧张地忙活着，几乎一个人面前一台电脑，手提式的。他们大都来自俄亥俄州的德顿华人教会，这个教会的成年人不到100人，整个夏令营主要由他们负责。

当天晚上，就有一千来人驾车从四面八方赶来，注册报名，第二天上午，报名的达到一千三百多人。

这次夏令营从7月1号晚上开始，4日中午结束。

中西部华人基督徒夏令会主要由中西部四个州的三十多家教会联合举办，

已经连续举办十多年了，从 1998 年以来，参加的人年年都超过一千。参加夏令营的成年人，大都是受过高等教育的大学生和专业人士。

将近 300 位中学生和高中生参加了这次会议。大会为他们准备了英文会场。他们习惯于听英语，于是，英语就成了他们的官方语言，这几天中，他们会听到许多场讲演。有的父母还把他们的小宝宝带来了，大会为这些小宝宝和小孩子也准备了专门的活动场所。我的一个老朋友，西北大学毕业的博士，就志愿来帮助哄小孩。

在大厅中我遇到了来自台湾的饶牧师，我们以前就认识。这次，他是大会的主要讲演者，我和其他几位担任专题讲演。饶牧师已经快到 70 岁了，虽然退休多年，但仍然在世界各地飞来飞去。我问他，一年出来几次。他说，12 次。我问，你体力上还受得了？他说，感谢神的恩典，我还很有力量。无论到什么地方，我没有时差。

我知道饶牧师没有钱，但却经常飞到欧洲去传福音，而欧洲的华人教会一般都挺穷的，肯定出不起机票，就问他，那你旅行的费用怎么解决啊？他说，感谢上帝的丰富供应，从来都不缺乏。这些年来，上帝一直感动一些兄弟姐妹来帮助我，去欧洲的经费都是由他们提供的。

开幕典礼在晚上 7 点半开始。大学的陈教授代表大学欢迎各位朋友。他的第一句话竟然是：有朋友自远方来，不亦乐乎。他来自大陆，1989 年后出国，在读博士期间通过许多探索，认识了耶稣基督，成为一个基督徒。

接下来，台福神学院院长刘牧师作主题讲演。他原来是学工程学的，后来成为神学博士。他说："无论你怎样忘记神，但神不会忘记你。但是，有一道墙把我们与神的生命隔开了，这是一面看不见的墙，它的名字叫自大、自满、自傲、自义、自欺、自怜、自卑、自私，等等。只有打碎它们，我们才能与上帝在一起。"

讲演结束前，刘牧师邀请在座的兄弟姐妹，如果谁愿意今后在教会中和兄弟姐妹一起，在上帝面前切切祷告的，请到前面来，到台上来，让我们一起祷告。一个接一个，两百多位基督徒来到了前面，他们跪在地上，一同祷告。

看到这么多基督徒跪下来祷告，我突然想到，人的一生中总该有这样的时刻，那是一个神圣的时刻，让自己的心向上帝敞开。当大家祷告的时候，一个基督徒深情地唱着一首歌曲：

> 十字架上的光芒，
>
> 温柔又慈祥，
>
> 带着主爱的力量，
>
> 向着我照亮。
>
> 我的心不再隐藏，
>
> 完全地献上，
>
> 让主爱来充满我，
>
> 在爱中得自由释放。
>
> 对，人在爱中得到自由。

2005 年 7 月 2 日于俄亥俄州

【网友评论】

自我神圣化和道德底线始终在冲突中蹒跚前行。

——孔孟就是国难

这么点人也好意思说大活动？也亏楼主还有中国血统。

——催化剂

呵呵楼主早忘了自己是哪片土地养育出来的子孙了，其实也就是一虚伪的美奴罢了。可笑的是猫坛里竟然有这么多的追随者！既然您是一个道德高尚的人，既然您是一个虔诚的基督徒，既然您相信众生是平等的，那请您来帮帮我这个社会的弱者吧。最直接的帮助那就是能使我过上温饱生活的金钱了，请您给点吧，请您散尽家财帮助那些处于社会低层的弱者吧，谢谢上帝会保佑你的。阿门！

——梦里千回

可笑。只要有人流露出一点善心，旁边就有人理直气壮、咄咄逼人地要钱。

——斜江河边

范先生的人格魅力就在于此。只有肤浅之人才会讲究文章的遣词用句是否华丽。范先生文章深入浅出，内涵满盈。仿佛品茶，幽香而绵长。

——恒河沙数

真是神了

一千三百多人参加了美国中西部华人基督徒夏令会。吃饭的时候可热闹了，得分三批进去，就是这样，那个大饭厅里，还是挤得满满的。我在一个饭桌前找到个空位，坐上就边吃边聊。还没有吃到一半，有个女性端着饭盘来到我们的桌边，问她熟悉的一个朋友："哎，你认不认识范学德？他在哪儿？我想跟他说点事。"

大家都楞了，你真会问啊，这么多人，就到我们这里来打听了。

我笑着说："我认识范学德。"

她问："他在哪里？"

我说："在下就是。你怎么找到这里来了。"

她说："我也不清楚。反正今天圣灵感动我，要我和你说件事，我就来了。"

她坐下后，我先给大家讲了一个故事。

那是前年发生的一件事。我到美国西部的凤凰城去布道，住在李牧师的家，他们父子都是牧师。星期六的白天没有什么具体的活动。小李牧师问我有没有兴趣去参加一个典礼，其实就是小李牧师他本人今天将被一些老牧师公开按立为牧师。这些老牧师中有一位就是老李牧师。父亲的手放在儿子的头上，并为他祷告，这一幕一定会很精彩，我怎么舍得错过！于是，就跟着老李牧师一家上路了。

小李牧师平日参加另外一个教会的活动，他的典礼也在那个教会举行，离我所在的教会不远不近，开车将近半个小时。

到了那个教会后，我发现一个人也不认识，就悄悄地在后面坐下了。旁边人来人往，有的说声你好，有的点头微笑致意，但没有一个人停下来跟我说话。过了十来分钟，有个中年男子走到我面前，微笑着说，请问，你是范学德弟兄吗？

我说，是的。我抬头看这位兄弟，怎么也想不起来我在哪里见过他，就说："对不起，我记不起来在哪里见到过你。"

他说："你没有见过我，我们俩从来没见过面，你不认识我。"

我说："噢，那你怎么能认出我？"

他说："是圣灵引导的。"

这么神啊，我不解地看着他。

他是王寿诚牧师，住在土桑市，开车到凤凰城将近两个来小时。他和小李牧师是多年的朋友，这次听说小李牧师要被正式按立为牧师，就匆匆赶来祝贺。他一两个月前从报纸上知道我要来到凤凰城，就想要来见我一面，当面邀请我到他们教会去布道。

我问："李牧师他们告诉你我坐在这了？"

他回答："没有，我还没同他们见面呢。"

我困惑了："那这里也没有别的人认识我啊，你怎么一下子就认出了我。"

他说："是圣灵引导我。我事先也不知道你会在这里。但我跟上帝祷告过，希望今天能够见到你。刚才进到教堂前，我还祷告呢。一进来，不知道为什么，心里有个深深的感动，要问一下你是不是范学德，于是，我就冒昧地问了。"

我说："不可思议。"

他说："上帝真奇妙。"

讲完了这个故事，我问那个女士，你有什么事，我们就聊吧。

她说，范弟兄，我信主3年了。半年前我失业了，可我不但一点也不忧虑，反而很喜乐，很平安。我发现，我现在很喜欢跟别人传福音，很喜欢祷告，有的时候，我会去探访朋友们，有的时候，我会在电话中和姐妹们一起祷告。我不太清楚，这是不是上帝要带领我走上一条新的路？你可不可以谈谈你的看法。

好啊，我们谈吧。

2005 年 7 月 3 日

【网友评论】

哈哈，你就是范学德。不要误会，不是我想出来说的，是圣灵让我说的。

——lnb500

有必要吗？用这种方式侮辱自己的人格。

——sog

为一日三餐奔波的人哪有兴趣去信什么教啊！

——毁灭之路

写这么多。看来在美国靠这混饭吃也不容易啊。

——左青龙

将来我没饭吃的时候，我也去加入基督教……

——凌楚风

晒晒我的书房

一般的美国民房，都有单独那么一个房间叫做餐厅，一年里能用上几次，像过年过节啦，请客人啦。平时基本不用。我看这太浪费了，就把它当成了我的书房。两千多册书就落户在这里。书架不配套，都是朋友搬家不要了，就送给我了。

有一排是不同版本的《圣经》，中英文的都有。有的是在书店中买的，有的是在网上订购的，还有的是朋友送的。美国大一点的书店中，大都有不同版本的《圣经》摆在那里。多年以来，《圣经》一直是美国每年销售量最大的书籍。

我还有一些小本的简装《圣经》，是人赠送给我的，这些书一般都不要钱，是一些基督教机构免费赠送的，大都在香港印刷的。这些免费的《圣经》的印刷量很大，发行的面也很广，申请个书号，就印刷了。不但基督教，其他宗教也一样，我书架上还有几本佛教的书，是我到芝加哥郊区的寺院参观时，和尚免费赠送给我的。

这几年回大陆，每次都买上几千元的书带回美国。这些书，也都放到了我的书架上。无论这些书的内容是什么，入美国海关时，从来没有任何一个美国海关官员禁止我把外国出版的书籍带到美国。

一卷本的《毛泽东选集》就这么放在我的书房中，大模大样的。

有将近上千本的中文版基督教书籍是我来美国后陆续买的，这些书，大都是在中国香港和中国台湾出版。中国内地很难看得到。光是那一套 32 卷本的《基督教历代名著集成》，买的时候就花了五百多美金。

我自己这几年写了 5 本书，都放在了书架上，它们也都是在美国和中国台湾出版的。看着它们，我就想起了一句名言：我有一个梦。我梦想有一天我的书能够在大陆公开出版，我等待这一天。

还有一些书堆在了地上，有的一箱 200 本，有的 100 本。这些书大都是作者本人送我的，他们自己出版印刷，然后直接送给朋友。有人要是喜欢这些书，就会写一张支票给作者，志愿地支持他的写作。这样的书，你愿意印多少就印多少，送多少就送多少，政府一点也不管。

我的两本书，也这样被有的基督教机构印刷过，没有稿费，印好后，送我一百来本书。我经常在美国和其他国家飞来飞去，就把这些书随手送给朋友。送的时候很愉快。

我的书房中还有八九种中文基督教杂志，这些杂志都是免费赠阅的。而杂志社维持自己生存的方法只有一个：靠基督徒自愿捐献金钱支持自己。

有时候，坐在椅子上或者站在书架前看着我的这些书，心里有一丝丝喜悦。

2005 年 7 月 9 日

【网友评论】

我也很喜欢读书。读书是一种高效获取信息的方式，比看电视有效率。一集电视剧 45 分钟，其实剧本的文字也就是 1 万字左右，相当于 10 页书吧。10 页书，我一般可以在二三十分钟之内搞定。

——howd

人生在世，还是要有个信仰的，不管你是信稣哥、佛哥、安哥还是马克思他老人家，有了信仰人才能踏实，有了大哥感觉自己就有靠山了，工作和生活中也会更有自信。当然了，信邪门歪道就不太理想了，毕竟人有信仰是为了更好地活着，不是为了把自己搞定。

——风唤雀翎

今天开车我吓个半死

今天心里有点乱。

11 点过一会儿，我急忙开车带孩子出门，到钢琴老师家，参加演出。从我们家开到她家，一般要开二十来分钟。我们得在 11 点半赶到。

开了不到 10 分钟，到了一个大交通路口，车队停得挺长。有几个身穿黄马甲手中拿个塑料桶的人，一看我们这边的红灯亮了，赶紧走过来，募捐。看到他们走过来，有的人不理，有的人则打开了车窗，往他们手里的塑料桶里放钱。我赶快找了两枚 25 美分的硬币，他一走过来，我就把硬币放到了塑料桶里。他笑着对我说："谢谢你。"我点头也谢他的爱心。

今天天挺热的，他们就这么在大日头底下收集一个个的小钱。

不一会儿，绿灯亮了，我的车继续前行。

路边有一个购物中心，大商店、小店铺，一个挨着一个。停车场上停了许多车，人们进出商店，都挺匆忙的。有一天中午，在路边，有几个人站着，手里举个牌子，抗议什么的。那几个抗议者挺轻松的，一边笑着，一边晃动着牌子。抗议的内容好像是保护什么动物的。下午 4 点多钟我回来时，他们还在那里抗议，有的人向他们挥手致意，大多数人则过去就过去了。呵呵，和平示威，家常便饭。我倒是很好奇，也有种种联想，但是，没有停下车同他们聊聊，做晚饭的时间到了。

不知道为什么，从我的脑子冒出了一句话，今天不宜说话。今天不宜说话？！何必问为什么？不说就是了。

脑袋这么胡思乱想，车速就慢了一点，这段路是四车道，时速限制 40 英里。突然，站在路中间的两个小伙子晃动了一下身体。啊，他们要干什么？还没有等我得出答案，嘴里叼根烟的那个小伙子，一下子就窜到了我这个车道上，紧接着，又窜过了我右侧的车道。我下意识地立即踩住了刹车，我旁边的车看来也是如此。天哪，我要是开快点，肯定会撞着他。而我旁边的车就更了不得，比我的车还大，是那种像装甲车的新型车，听国内的人说，它叫悍马，特有劲。那个小伙子要是撞在上面，不粉身，也得碎骨。

那小子没事似的晃晃悠悠向小店走去，而我则吓个半死。

这小子不要命了，这要是撞上了他，白撞。因为这里不是交通路口，也没有任何人行道的标志。我看了看右手边开大车的司机，他也耸耸肩，摇头，什么也没说，走了。

不能乱想了，得集中精力开车。万一撞死人了，不论我有没有理，都是天大的事。人不是蚂蚁，脚一踩，碾碎了，就拉倒了。犹太人中间流行一个古老的格言："人首先是以个体被创造出来的，这样做是要教导人们：无论谁毁灭了一条生命，《圣经》便视其为毁灭了整个世界；无论谁拯救了一条生命，《圣经》便视其为拯救了整个世界。"这是对生命的另外一种看法。

尊重生命。

2006 年 6 月 3 日于芝加哥

【网友评论】

被吓习惯了就吓不死了。

——等闲之辈

我们是孬种，我们总是让勇敢的人鲜血白流，我们活该被奴役。

——看热闹的人

像流星划过天空，短暂的光芒给黑暗的大地留下一丝希望和记忆。

——独步青云

最大的权力不是惩罚，而是宽恕。

——最后的冷杉

车祸之后

昨天傍晚 6 点过 5 分，我和小安散了两个来小时的步，坐在 132 号公路旁边的加油站的地上喘气。聊天，聊了一会儿后，我要了他的手机，给妻子打电话。电话刚一接通，妻子就说："刚才我到处找你们找不到。"

我问："有什么急事吗？"

她说："出车祸了。"

"什么？"我急忙问，"人没事吧？"

"没事。"

"是谁撞谁了？"

"后面的车撞上我们的车了。"我松了第二口气。

原来，我们家的车在等红灯的时候，后面的车子没停住，撞到了我们家车子的尾部，蹭破了点车皮。还好，车里的两个孩子都系着安全带，没伤着。过了一会儿后，警察来了，判定是对方的错，给了他一个罚单，要他到法院去。那个开车子的是个小伙子，高中生，学会开车才三个月。

6 点半我回到了家里，电话显示有新的留言。原来，是那个小伙子的父亲打来的。他说非常抱歉，他孩子的车子撞了我们家的车，他希望我们不要把情况报到他们保险公司那里。我们修车的钱，他愿意全部承担。

十多分钟后，妻子和孩子都回来了，儿子和女儿告诉我，他们和那个高中生的弟弟妹妹是同学。我也理解，他们之所以想私了，是因为害怕保险公司知道了，会大幅度地提高他们的的保险费。

今天上午去另一个城市的一个华人教会讲道，路上不知道怎么就想到了撞车的这回事。下午回到家中后，有点郁闷，突然听到门铃声，原来，那个高中生和他的父亲来了。他父亲一看到我出来，就连声说对不起，他儿子也说对不起。

父亲说："我儿子昨天吓坏了，他看到车里有小孩子，以为自己伤到孩子了。"

我说："还好，孩子没有事，你们放心好了。"

他们刚要离去，妻子开车回来了。他们父子又和我妻子谈起来了。

爸爸说："这是我们的错。怎么赔偿都可以，只是希望不要把情况报到保险公司那里。法院我们肯定要去，已经接到了罚单。"

小伙子又重复："我很抱歉。昨天开车没有集中注意力，撞到了你们的车。我以为撞伤小孩子了，吓坏了。请你们原谅。"

我说："没关系，谁都犯错误，别害怕，以后好好开车，慢点开。"

我和妻子都告诉他们："我们到汽车修理商那里看过后，会把估价告诉他们。不过这两天忙，没时间去。"他说："没关系，你们到时候告诉我们就行了。谢谢你们。"

他们父子离开以后，妻子告诉我，昨天撞车后，小伙子的确吓坏了，一个劲地说："我的天哪！我的天哪！"他还承认，他没有集中注意力，因为他带了一个同学，两人正在聊天。她又说，一些学生家长给刚学会车的孩子立下的第一条规矩就是，绝对不许开车载人。

我告诉儿子，听好了，我们家将来也得颁布这个第一条规矩。我儿子回答：OK。

2006 年 6 月 4 日于芝加哥

【网友评论】

人类失去了联想，世界将会怎样？

——阿土仔 412

吓了俺一跳！车能载人亦能撞人啊！

——应县木塔

公民的庆祝游行

今天是星期六，我本想睡个懒觉，可刚到8点半就被电话铃吵醒了。电话是下一条街的邻居打来的，她说，她9点15分来接我女儿去游行。我把女儿叫醒，下楼一看，外面正下着小雨，几滴雨点打在阳台的木板上，荡出小小的一个圆圈。糟糕，天不好。

一年一度，我们镇里都要举行一次大游行，这个游行可以说没有主题，也可以说一直有一个主题，就是庆祝自由。游行从火车站出发，经过镇里的一段主要马路，到镇高中结束，有三里多路。游行由镇政府主持，镇里的居民自愿参加。

已经9点15分，邻居的车还没来，我和女儿就站到门口等。小雨中的空气，格外新鲜。门前的花园里，玫瑰、芍药、蝴蝶兰，还有两树黄花，都开花了。淡淡的香气溜进了鼻孔。5分钟后，邻居家的车来了。她连声说，对不起，晚了一会儿，我还得去接另外一个女孩。等游行结束了，我会把她送回来。我连声感谢。

几个星期前，我们接到了镇高中的一封信，说欢迎参加今年的游行训练班，名字还挺好听的，叫作"拉拉队领袖训练班"。两次训练，6个小时，60美金。我女儿高兴要去。于是，报名，交钱。星期三我带女儿到高中，一看，女孩来得还真不少，一百来人。拉拉队领袖训练班是按班级分的，不同阶段的领袖，从三年级以上开始分。我女儿参加的是六年级的那个组。

第一次训练回来，她带回一个白背心，后面印了一个猫蹄子。红色的，山猫蹄子，这是镇高中的校徽。前面还印了一行红字，"未来的山猫拉拉队"。

我和妻子出门时已经是10点20分了，雨停了，艳阳高照。5分钟后，我们开车到了镇中心，但根本找不到停车位，转了几个小街，终于在一个住家前的小路旁找到了一个停车位。停好车后赶紧走，上"第一街"，在"教会街"左转，走了一百来米，来到了我们镇里的主要街道——"Milwaukee路"。Milwaukee，中文翻译成密尔沃基，是维斯康星州最大的城市。路的两旁已经站满了人，有的坐在自己带来的椅子上，还有些人正从小路赶来。

我们刚站好，就看见一个方队过来了。一辆彩车，彩车前后左右一群人，身穿白背心，上面写着"信望爱"三个大字，彩车的牌子写的是学前班、幼儿园，这个幼儿园是教会主办的。自由地办学是一件美事，美国至今还有教会办的私立学校。那个教会的学校，我去过，学生不多，但老师很尽责。

下一个方队是苏格兰人，几十个大男人，一边走一边吹着苏格兰长笛，他们穿的裙子很有特色，很短但颜色并不鲜艳。隔了几个方队后，又来了一个苏格兰方队，也吹着民族乐器，他们是身穿短裙的演奏者，还留着雪白的胡子。他们的前辈，就是为了争取信仰自由而来到美国。我曾经看到一张古老的照片，就是这些获得了自由的前辈们，身穿短裙，敲锣打鼓地庆祝游行。

一个警察站在路边维持秩序，看到一个小孩子好奇地看着他，他笑了，从兜里掏出一大张小标签（Sticker）送给了他。一看那上面印的是警察的徽章，我也给女儿要了一张。看到两三个小孩子晃晃悠悠走过来，警察蹲下去，把小标签放在小孩子手里。

前南斯拉夫国家的方队只有七八人，他们脖子前后各挂着一个大牌子，说某某议员是南斯拉夫人，某某大科学家、某某大企业家等等是南斯拉夫人。

黑人在镇里不多，但他们方队的舞蹈跳得最漂亮，那些漂亮的黑人女孩，一晃、一摆、一扭、一跳都充满了舞韵。最妙的是他们的领队，一个黑人男子，巨胖，说他有三百斤，绝不过分。他一动，浑身上下的肉就颤，一舞，那肉就如波浪滚滚扑面而来。

有一伙飚车人，骑着摩托，大多是五六十岁的骑手，骑着骑着，他们就玩漂了，骑起了八字。过了一会儿，来了一队绝对的老人方阵，年龄看起来都至少65岁以上。他们骑的竟然是小孩子玩的大电动车，老人们玩得特开心，眨眼睛、缩鼻子、咧大嘴、哈哈大笑，那笑声什么声音也压不住，大家一个劲给他们鼓掌。

本镇的小姐也坐着一辆彩车来了，她穿一身粉色的彩衣，面带微笑，向两侧的人频频招手。跟在她后面有三四辆彩车，每一辆都坐了七八个小女孩，笑眯眯的，彩车上写着，她们是未来的小姐。

我女儿那个方队走过来了，她们的动作简单，但喊声嘹亮："嘿嘿！呦呦！大猫来了！喔！喔！喔喔！"隔了几个队，真正的高中拉拉队来了，她们走着走着就停下一会儿，又喊又扭，还弄了几个叠罗汉。看她们扭得那么漂亮，我明白了，那叫专业水平。

镇上的一些公司也组织了彩车队，一边走，一边往两侧扔糖块。我发现，大多数来看游行的小孩子都拿着个袋子，大都装了半袋子的糖。还有的送笔。医院方队送的是一件塑料雨披。一家干洗店送的是 T 恤衫，也给了我一件，那是一家连锁店，1857 年就开业了。

最有趣的是有一家人也组成了一个方队，一个母亲领了四个女孩，拉了一个大玩具车，她们穿得都很平常，车上装的都是糖，四个女孩忙着送糖。

一个半小时很快就过去了，在看彩车和回家的路上，妻子一再说，我们镇里这么多中国人，也该组成个方队。我说："好啊，穿旗袍如何？"她说："我们不送糖，送幸运小饼干。对对，请镇上的中国饭店赞助。"

到家不一会儿，女儿也回来了，问她的感觉，她一个字就概括了：Fun（有趣）。用比较正规一点的语言来说，正因为自由是美好的，所以，公民们才发自内心地来庆祝它。

2006 年 6 月 10 日

【网友评论】

活灵活现，喜欢。

——古河

哈哈，我在一些美国影视作品里也看到过美国的节日游行，颇有英国古典的味道！

——fgys

比赛比个没完没了

原来的题目是我在洗手间里想出来的——"某国教育为什么培养不出人才？"别人不必说，我自己都知道，这题目太臭了，厕所里还能出什么呢？臭呗。

不过，我原来的思想并不臭，我是想问，国人很聪明，举世公认，可为什么从小学到高中的教育就培养不出人才呢？我不是指会背书能考试的学生，而是那种德智体美全面发展的人才。

按理说，这德智体全面发展，在我上小学的时候就是教育方针了，但为什么落实不了？我以为首先是教育制度的问题。体育美育的发展与上大学没有太大的联系，而德育呢？怎么衡量？如果诚实都不能成为为人之本，还能说别的吗？

以上这些都是臭气熏天的屁话，别管它，下面说正经事。

今天下午到学校接了两趟，还没有接到女儿，我有点急了。回家打了几次电话，放心了。原来她忘记告诉我了，她今天参加比赛，赛跑。快到6点钟了，她从学校打来电话，让我接她。

我问："你跑得怎么样？"

她说："不错。第33名。"

"多少人参加跑步啊？"

"女孩39人吧，我也记不准确。"

"多少男孩？"

"72名。"

吃饭的时候，她还兴致勃勃："今天跑到一半的时候，我都累坏了。但我对自己说，不要停，不要停，我能跑到底。你看，我真的跑完了。爸，你为我自豪吧。"

当然了，我拍拍女儿的肩膀："我相信你能做到的。"

女儿颇为深沉地说："是啊，这次才跑一个半英里，我要是跑不下来，下次我怎么跑两英里啊。"

拼了!

女儿今年上初中,也就是六年级。一上学,就有一大堆俱乐部问她要不要参加。她对体操有兴趣,但我们担心危险,就和她商量,能不能选别的项目。于是,她就选了长跑。这个项目的名字挺好听的:穿越美国。

每个星期从周一到周四,下午,一放学,她们就开始跑步了,从 3 点半跑到 4 点半。第一天就跑了 1.5 英里(2.4 公里),回到家里后大喊:"累死我了!跑了那么长,又得走回家。可累死我了!"但问她还要不要继续参加长跑队,她说:"当然要了。我明白,退出,就意味着向困难投降。"

第二天 4 点半,我开车去接她。去得早了一点,她们还没有跑完。今天她们跑两英里。等她的过程中,我溜进中学的体育馆看了几眼,里面正在进行排球比赛,也是初中生的。以前,我看到的都是篮球比赛,男生的,女生的,都有。大都是与外校的篮球俱乐部的同学比赛,家长坐在看台上,当拉拉队。

这个中学没有游泳馆,所以,没看到游泳俱乐部的比赛。儿子去的高中就有了。他这个高中生真忙,有时候做作业要到下半夜 1 点钟,就是这样,高中生也参加各种体育俱乐部。不参加体育活动只会读书的,同学们瞧不起。朋友有个孩子参加了游泳俱乐部,每天要练两三个小时。我去高中时看到,下午四点多了,还有七八十个高中生在跑步,小伙子们跑热了,就脱了上衣,光着膀子拼命地跑。

塑胶运动场旁边,一大块绿色的草地,一大堆学生在练美式足球。也是几十人,穿得严严实实的。我看得最多的是网球,有时是比赛,有时是训练,无论是比赛还是训练,几十个小伙子都在拼搏,不断地奔跑、跳跃、扣杀、耸肩、挥拳头、吼一嗓子,喜悦的眼神碰到了一起,微笑着示意,赢了。

女儿跑步刚练习两周,就比赛了。这也是他们的传统,通过比赛带动训练。练一两次就参加比赛。今天下午是第一场比赛。校车把她们拉到了另外一个学校,四五个学校的学生聚到一起,跑,比赛。下周,还有一次比赛。以后几乎就都是这样,一天练习,一天比赛。

与其他学校之间比赛的日程,一年前就定下来了。

训练场上,比赛场上,不断地拼搏。

参加锻炼和比赛的好处，我就不多说，单说孩子这睡觉，太香了，上了车，倒头就睡。

2006 年 8 月 3 日

【网友评论】

个人体育运动锻炼身体，促进新陈代谢，使身体更健康，也培养了竞争意识，磨炼了意志力。群体体育运动，培养了个人的团体合作精神，使学生更易融入社会，适应集体生活。

——强国先强人

从小扼杀独立思维。

——真正的非知

需要什么就培养什么，我们的目的是永不变色。

——902286

楼主，很惭愧，原来看过你的一篇文章，觉得很没意思，后来就不想看你的文章了。今天偶然进来，看了觉得真是好啊！说实在的，我本来已经懒得参与教育问题的讨论了，因为某些人的素质太差了。毕竟他对待的是他自己的孩子，他侵犯了孩子的权益，他剥夺了孩子的快乐，他扼杀了孩子的天性，在国人看来，是他的私事，别人是无权干涉的。这个问题，比刚解放时宣传法律禁止打老婆难得多啊。现在的家长不严格要求自己，自己不好好工作，自己不好好上进，自己无法在事业上取得成功，而把希望完全寄托在孩子身上，过分地重视教育问题，已经到了走火入魔的地步。所以说什么，他们也听不进去，只有将来新的一代长大以后，思维观念才能有可能进步……

——刚路过看看

Show time（表演）

豪华游轮上每一天晚上都有表演。有时一场，有时两场，大都在晚上九点钟以后举行，地点是游轮内的大剧场。第一天晚上去看的时候，人已经坐满了，大人小孩子都有，表演就是唱歌、跳舞。唱歌有两个主角，一男一女，剩下的男男女女，蹦蹦跳跳。唱的也好，跳的也好，都很专业。最显眼的是服装，极其艳丽，大概是南美风格的，弄得我眼花缭乱。

看了一会儿后，我觉得闹腾，溜了。

第二天也是留点印象就溜回住处。当晚十点钟，电视中正转播全美舞蹈比赛《So you think you can dance》，节目已经进入8进6的淘汰赛。8个参赛者哪2个将被淘汰，大家都很关心，看得也很仔细。这些人的舞跳得实在太美了，看了他们的舞蹈后，剧场正在进行的表演就没有味道了。

最后一天晚上（8月2日），我觉得自己应该留下点照片，于是，带着相机又到了大剧场。进去的时候，正赶上她们敞开肚皮狂舞，于是，我赶紧照相。第一张使用了闪光灯，闪光灯一灭，一个服务员立即过来，说："对不起，演出的时候不能使用闪光灯。"

我说："对不起，我没有注意到。"（第一天晚上，我记得他们说，不许录像，保护版权。）

她说："没有关系，再照的时候不用就可以了。"

匆匆照完了相，我回去了。

那天晚上11点，是夜场喜剧表演，仅限于成年人观看。演什么啊？我好奇心来了，得去看一看。一看，原来是一个老头在那里说单口相声、黄色段子。我去的时候他正从道具箱里往外掏出一卷手纸，撕下三张，说："我擦屁股时只用这些。"然后，他就从那卷手纸上往下拽，拽了满满一大把，说："我老婆用这些。她说，她用这些才舒服，她舒服了，树哭了。"

全场大笑，多是男声。没想到黄色段子也能宣传环保。

他又讲女孩，说："好女孩去天堂，坏女孩什么地方都去……"

还有一些，就少儿不宜了。

　　大家正笑的时候，我跟在两个人的后面，也出了剧场。我再一次上到了甲板上。突然，在右前方极远处，天幕中出现了一片闪电，是一片，而不是一道。一会儿，这片闪电画出了琼楼玉宇，一会儿，另一片闪电写出了气吞山河。接下来，或是东方欲晓，或是闪光的原野，或是乌云半遮日，或是撕裂心肠……一幅幅奇特的景色，令我又惊又喜。本想回去拿照相机照几张，但一想，回去就错过了许多奇景，错过了就永远错过了，于是，我就站在那里看，看了很久。

　　是谁，以长天为舞台，导演了这闪电之舞？

　　我庆幸自己看到了这空前绝后的一幕，心存感恩。

2006 年 8 月 6 日

【网友评论】

这个夜场喜剧没劲，还是郭德纲的相声更有趣。

——howd

好女孩去天堂，坏女孩走四方——是不是真的？

——王的说

范老师给力啊，这个年纪了还有这么丰富啊想象力，闪电不仅能画出琼楼玉宇，还能写出气吞山河……我小时候只是经常把墙上的印记或是光影想象成各种怪物，后来慢慢长大了，开始把想象力用在天上的云彩。再后来……突然发现自己没有想象力了。

——风唤雀翎

第一次乘西南航空公司的飞机

平时外出乘飞机，我一般都找芝加哥的一家旅行社订票，很多年了，彼此都熟悉。每一张票，手续费20美金，这也是十来年的价钱了。这个周末我到波士顿附近的一个华人教会布道。他们那里的一个弟兄要为我订票，并且，两个多月前就订好了。我也不好拒绝。临行前我一看票急了，原来他给我选的机场是芝加哥的中途岛（Midway）机场，而不是我经常去的俄亥俄机场。中途岛离我家很远，将近60英里，开车得一个半小时，我从来没去那里乘过飞机。并且，这票是西南航空公司的飞机，我从来没有坐过它。出发的前一天晚上，我接到那位弟兄的电子信件，说在家里的电脑上就可以办理登记手续。我按照他给出的网址，上网弄了半个来小时，还没有看到电脑上显示出我的座位号码，于是，放弃。

第二天上午，不到8点20，我就开车上路。还好，一路上没有堵车，9点半多就到了。我把车开到了中途岛机场的经济停车场，车停在那里，24小时收费12美金，比俄亥俄机场的便宜一块钱。乘机场的免费小巴，我和几个乘客一起到了机场。

服务台前，我在自动登记机前把信用卡放进去，于是，机票显示出来了，还是像昨天晚上的一样，A组，但没有座位号码。

"怎么一回事？"我问柜台的服务人员。

他告诉我，西南航空公司的规则是，谁先到，先服务谁。A组首先登机。

我满脑子疑问地走到了登机口。来得早了一点，还有一个半多钟头才能登机。于是，坐下来看书，附近等机的人，也大都在看书，看报，或者悄悄用手机通话。11点20，开始检票了。这时，我看到按照A、B、C三个入口的次序，人站成了三行，没有谁挤谁，或者插空。

检票员首先请残障人、老年人和带小孩子的人上飞机。有两个老人都是坐在轮椅上被推进里面的。他们上完后就请我们A组的人检票。我把那张电子机票给他了，他就叫我进去。进到里面，看到的不是空姐、空嫂，而是一空哥，四十左右。我问这位空哥，我想坐哪里就可以坐在哪里吗？他说，当然了，完全自由，160 个座位，你想坐哪里就坐哪里。

我看中了第五排，机舱的左侧，靠过道的位子已经有个中年人坐上了，中间和靠窗户的，还空着。于是，我进到最里面，在靠窗户的位子坐下了。

乘客陆续进来，选自己中意的位子坐下。一对老夫妇进来，老太太喜欢紧靠着我的那个位置，就在说声对不起后，进来坐好了。她老伴向四周看，但位子大都满了。

这时，靠过道的那位中年人站起来，对老先生说，你们希望靠着一起坐吗？那你就坐在我这个位子上吧。在老先生的谢谢声中，那位中年人起身，向机舱后部走去。

今天晚上我回来时，是朋友昨天晚上在他们家的电脑上为我办理登记的，被分到了 B 组，我拿着他打印好的那张电子机票，连机场的服务台也没有去，直接就到了安全检查入口。很顺利，没有任何问题。入机舱的时候，又找到了一个靠窗户的位子。

下飞机，乘小巴回到中途岛机场的停车场，我迷迷糊糊的，弄不准自己把车到底停在了哪里。就在这时，开车的司机说："到了。"和我一起上车的人都下车了。司机看看我，说："到终点了，你也下吧。"

我急忙拿起手提包，拎着旅行的箱子就下来了。走了十几米，小风一吹，脑袋清楚了一点，一看，糟了！我手里怎么多了个手提包。谁的啊？回头看，机场小巴正在离开。

怎么办？就在这时，我看前方站着一个白人中年妇女，于是就对她说："不知道怎么了，我手里多了一个包。"

她说："啊，是我们的。"

她朝一个男人大喊："约翰，包在这里。"约翰正在追机场小巴，看到包，约翰说："好运。"

我说："感谢上帝。"

他们说："是的，感谢上帝。"

我对他们说："我不知道我车子停在哪里了。"

他们说："没关系，你坐我们车里，我帮你找。"

我上了他们的车子，车子开动后转了刚刚一圈，我说："看到了，我的车子就在这儿。"于是，彼此再见，祝福，各回各的家。

2006 年 8 月 10 日夜半

【网友评论】

你是巫师，两年写三百篇文章的巫师。要么是没有质量的重复。要么你是半仙。

——丁丁的兰莲花

老范的帖子，顶，虽然是杯白开水。

——冒烟了

上个月在公交站有一好心追贼的小伙子，没能追到贼返回来，被抢包的女人却把他当成那贼的同伙给报警了。哈哈，在国内，范兄，你这叫人赃俱获。

——草原白老七

中学生的公民教育：欢庆自由

写完了一个随笔后，我歇了一会儿，到厨房找点东西，几下子就填进肚子里了。这时，我看到了孩子撂在书桌上的教材，就随手翻了几页。这是社会科学这门课的教材，书名是《我们的世界》，主要讲世界历史，供美国六年级（相当于中国的初中一年级）的学生使用。看来这不是什么全国统一使用的教材，好像美国也没有这类"全国统一"的教材。

扉页是一大群不同种族的孩子的彩色照片，中间，在一颗黄色的星星下，写着两个大字，一个字一行：

欢庆

自由

紧接着一页，扉页的背面，在"欢庆自由"两行大字的右侧，是杰弗逊的彩色照片。下面写着"独立宣言，1776"。然后就是那段最重要的引文：

我们认为这些真理是不言而喻的：所有的人都是被造而平等的，他们都从他们的造物主那里被赋予了某些不可转让的权利，其中包括生命权、自由权和追求幸福的权利。为了保障这些权利，人们才在他们之间建立政府，而政府之正当权力，则来自被统治者的同意。任何形式的政府，只要破坏上述目的，人民就有权利改变或废除它，并建立新政府；新政府赖以奠基的原则，得以组织权力的方式，都要最大可能地增进民众的安全和幸福。

这段引文下面，提出两个问题：

"根据独立宣言，组成政府的目的是什么？"

"政府从哪里获得了它的权力？"

下一页的左上角写着"美国宪法，1789"。接着是那段著名的美国宪法序言的第一段：

我们美利坚合众国的人民，为了组织一个更完善的联邦，树立正义，保障国内的安宁，建立共同的国防，增进全民福利和确保我们自己及我们后代能安享自由带来的祝福，乃为美利坚合众国制定和确立这一部宪法。

这次提出一个问题："宪法的作者希望获得什么？"

这一页的右下角，"权利法案，1791"。四行赫赫大字：

宗教自由

言论自由

出版自由

由陪审团审判的权利

《权利法案》的第一条规定，国会不得制定关于下列事项的法律：确立国教或禁止信教自由；剥夺言论自由或出版自由；或剥夺人民和平集会和向政府请愿伸冤的权利。

又提出一个问题："你是怎样看待由陪审团审判的权利是民主治理的一个重要部分？"

下一页说明，独立宣言认为所有的人都有追求幸福的权利。每一个美国人都通过自己的路去追求幸福。你自己作一个海报牌，说明你认为美国人通过什么东西使他们幸福。文字下有一个小女孩作的海报牌：上面用图画表明：再创作、学习、投票、工作和敬拜。

在"历史"这个标题下，写着两行字："为争取自由而战"，下面的说明是："在世界各地，人们为了争取自由和平等而奋斗。领导者大胆地呼吁自由的勇气，将激励着跟随他们的公民和所有热爱自由的人民。"然后是几位名人的话，第一句就是马丁·路德·金的名言："任何一个地方的非正义都是对每一个地方正义的威胁。"

匆匆翻到最后几页，看到又是三行大字：

政府

公民的权利

公民的义务

下面写着："政府就是我们，我们就是政府，你和我。"下一页有一个图画，一个女邮递员正要往一个邮筒里送信，我估计那肯定是中国，因为邮筒上赫赫两个大字，邮政，简体字的。

她送来了什么信息呢？我当时只想到了一点，公民教育是现代教育的基础环节，它要从小就开始，让自由在孩子们的心灵中扎根。

2006 年 8 月 30 日中午

【网友评论】

某些大学生未必不知道什么是正义、什么是自由、什么是民主。他们可能有精神世界，但是，绝对没有精神追求。

——南冠客

差别的确太大了，民主自由啥的就不谈了，明天孩子开学，今晚她整理书包，看见一小记事本，我拿起来翻了翻，是她上学期在思品课上的课堂笔记，很有意思，贴上来老范瞧瞧。

......

7 安全：

（1）放学后，立马回家，不许围小摊。

（2）不和陌生人说话。

（3）不吃陌生人的东西。

（4）不告诉陌生人家在哪里。

（5）不围人群。

（6）走人多（原文如此）

（7）对陌生人不要助人为乐。

（8）对陌生人不要见义勇为。

（9）不打闹。

（10）......

在班级管理这项有这么一句："眼操，不做的罚站。"

——王小三

美国老师也告诫学生，（2）不和陌生人说话。（3）不吃陌生人的东西。（4）

不告诉陌生人家在哪里。不坐陌生人的车。再加上发现情况立即想办法给警察打电话。

——范学德

乡下佬入大观园，少见多怪。米国的东西也是泛米国式的政治化。不过是另类而已。米国宣扬他的"自由、民主、人权"，从来都不遗余力地给未成年人洗脑。本人读书时，课本说高丽战争是保护自由、民主而战。这全都是向未成年人灌输。但政客从不忌言高丽战争是为米国利益，为米国势力范围而战。只有小孩和无脑的大人才相信美国的教育宣传品。

——作合

美国人要给孩子洗脑，为什么还要教育孩子用自己的权利去反抗包括政府在内的强加于自己的不平等呢？正如一个大人对一个小孩说："孩子，我做了错事，你就要反抗我，这是你的权利！"如果大人这样的行为是"洗脑"的话，我看应该先给你洗脑才对！

——nihao046

黑暗中的篝火

昨天下午在沙滩上玩够了以后，我们回到了露营地，一到入口处就发现，贴出了一个通知，所有的露营地点都已经满员。我们那一大片，大概就有四五十个位置。有的在路边，有的像我们一样，在一片树林里。这个露营点与下一个之间，大概有十几米远，一条小路相连，路宽不过两尺，铺了些木屑，走在小路上往上看，几乎看不见天，天都被高高的枝头上那浓密的树叶给挡住了。

我们回到停车场时，一个空位也没有，等了七八分钟，才有一辆车离开。

搬食物，准备晚餐。

安兄开始点篝火。每一个露营点，都有一个烧篝火的地方，一个圆盘，放下来就像炉子，还有烤肉的炉架子。安兄拿来两大捆劈好的木块，放在炉架下，点火。木块干得很，一会儿就着了。烧了一阵子之后，有一个人从小路走过来，扛着一捆木块，告诉我们说，停车场来了一辆车，里面装了好多烧篝火用的木头，正在那卖。王兄听后就去了，买了一捆，他说，每根木头才 50 美分。那木头大都两尺来长，两三寸厚。

又一会儿，一个小伙子搂着一个女孩，也向林子的深处走去，还说她是个婊子。她是谁？不知道。我去停车场时，又看到了这小伙子，他一照面就跟我打招呼，大声地说："你好，怎么称呼你的名字？"他说话时，两眼发直，舌头有点卷。我回到露营地后，朋友告诉我，说刚才有人告诉营地的管理人员了，请他告诉这个小伙子别再打扰我们。又有人说，一看这小伙子的眼神和声音就知道，他肯定吸毒了！

营地没有禁止吸毒，但禁止喝酒。喝酒者，罚款 5 千美金。

拿出事先准备好的食物，我们吃饭。正吃着，一位六十来岁的老人过来了，他身穿制服，样子长得像卡斯特罗，他希望我们把车挪到远一点的地方，因为这里的每一个露营点只允许停一部车，而我们一共有两辆车。没问题。于是，我们开走一辆车，看我们的车要离开停车场，老人一再招手，连声说谢谢。

后来听说，照顾这个营地的绝大多数人都是志愿者。估计这老人也是。

晚餐快要吃完了，又一位管理人员过来了，劝我们最好把吃剩下的食物都放回车子里。这附近有小棕熊，它们一闻到食物的味道，就会来找东西吃。就是放到帐篷里也不行，它们会钻进去。

我们问她："东西放在车里不会丢吧？"

"不会吧，"她回答，"我来这里这么长时间了，没听说什么东西被偷走了。噢，有时候有人的木头少了几块，就这些。"

林子渐渐暗了。四处，只看到一团团篝火。仰起头来望夜空，夜空也就只有半个篮球场那么大，黑乎乎的树影，把长空其他的地方都遮住了。这一块夜空虽然很小，但它里面却有好多小星星，一闪一闪的，在漆黑的天幕上分外明亮。

看夜空看累了，我继续拨动一下篝火。大木块有的已经烧成了一块块漆黑的木炭，蓝色的火苗从里面冒出来，忽东忽西，忽上忽下，这一处没了，另一处又起来。而树皮烧起来的火，是红色的，仿佛红绸子，被风吹得飘来飘去。

小孩子最喜欢弄一把干树叶子，扔在篝火上，先是几缕黑色的浓烟，然后呼的一下，火花一下子就窜上一尺来高。待到火花跌落时，在火光中，一片片白色的灰烬，恰似蝴蝶乱舞。而在大木块旁边的树叶，则从外到内，火如波浪，一浪推一浪，浪与浪之间，亮度不一样，就好像不断变化的红色霓虹灯！

我和王兄聊小时候的故事，看这么好的炭火，说："这火要是烤马铃薯就好了。"是啊，马铃薯的皮烤得黑乎乎的，里面有一点硬。烤红薯也好。吃起来香死了。他没有提到烤肉，我也没提到我小时候烤过白菜根，因为那时候实在找不到什么东西可以烤着吃。

我们说话的声音挺低的，附近几个露营点的人说话的声音也都很低，只有篝火，在黑暗中摇动。

快到 10 点了，孩子们都进帐篷里睡觉了。10 点以后，营地内就不应该有说话的声音了。

我注视着篝火。火苗越来越弱了。我也进帐篷了。王兄看守着火，最后，他用水把剩下的火浇灭。明天，我们还要把这些灰烬装到垃圾袋后放进垃圾箱里。我们来时就发现，这里收拾得干干净净的。附近有蚊子，但没有苍蝇。

躺在帐篷里，睡不着。没有这么近地靠着大地睡觉有多少年了？记不清了。天上的星星更明亮了吧？虽然看不到它们，但林中的凉意却一点点地溜入了帐篷，带着一点点泥土和落叶的芳香。远处，汽车开过去了，火车开过来了，一串串的隆隆声清清楚楚。

"汪！汪！汪！"不知道是谁家的狗在叫。"呼！呼！"这酣睡声是从儿子那里传过来的。

2007 年 6 月 10 日

【网友评论】

人间至乐，莫过于此。

——肃慎书室

他那地方露营得提防棕熊，咱这块要谁迫不得已非要露营的话，一定会问："这附近晚上会有人出没吗？"

——紫狼星主

（要想日子过得好，一得有法律，二得信上帝。）对。我是野蛮人，我愿意再加上"野蛮"这个因素。所谓野蛮，就是质实端方，血性勇猛，栉风沐雨，筚路蓝缕。说实话，我对中国一点信心也没有，觉得这里的人，一是太娇，二是太狡，三是太矫。

——吏部员外郎

84楼（吏部员外郎）的话，我这么理解行不行？一个蓬勃向上的人群，必须得有个体对生存跟美好生活的强烈欲望，以及具体的行动能力，同时，这种欲望和行动能力又必须受到法律的制约，以及信仰的指引。

——猎人在家

美国厕所印象记

我到美国那年，托运的行李在国内就被火车不知道运到哪里去了。无奈，下了飞机没几天，就得赶到购物中心买东西。商品的样数多得数都数不过来，这倒没怎么刺激我，我对购物没什么嗜好。最刺激我的是另外一件事：公共厕所。

逛了一会儿后我要方便一下，就去了洗手间，进去一看，愣了，这怎么能叫厕所呢？明明亮亮，干干净净，就是努力地呼吸，也闻不到什么臭味。还有洗手池，池子边上还有肥皂液，洗完了手，还有擦手的纸巾。最使我无法理解的是手纸，叫个洗手间就有手纸放在那里，有的刚刚打开，全都免费。按理说，美国人也并不个个都富得冒油，这一卷手纸，多少也值一点钱，怎么就没有人偷呢？我给国内的朋友写信时提到了这一点，大喊不可思议。

公共厕所，按照它的本来含义，就是一个公共空间。尊重人，这是对公共空间的第一个要求。

这种尊重不仅表现在营造一个清洁的环境，更表现在他要把满足人的需要放在首位。果然，不久后我发现洗手间里又多了一个东西，一个台子，有的是折叠的，有的就是平平地安装在那里，并且还有一个很明显的标志。这个台子，是专门供大人给婴儿换尿片用的，婴儿可以舒舒服服地躺在台子上，父母可以从从容容地为孩子服务。有趣的是，这种事也男女平等，就连男厕所也有这样的台子，供奶爸使用。

经常看到清洁工推着车在打扫厕所，他们大都是西班牙裔或者黑人。开始清扫了，他们就在地面上放一个警告牌，小心，地面滑！这些就按下不表，太平常了。其实，许多时候，洗手间并不脏，但清洁工们还是及时打扫。记得有一次儿子跟我说，爸，老师说了，在美国的许多地方，厕所的便池比洗碗的水池子还干净！我说，有那么夸张？他回答，是真的干净。

大概是1993年吧，我去了西部的一个大学，进了洗手间一看，一边蓝色的木板上刻了一幅画，并写了几行字，都是即性创作——同性恋信息。于是，我去了隔壁的一间观察，发现木板中间也有创作过的痕迹，但已经被涂上了一层漆。哈哈，刚才看过的那幅，一定是最新的创作，负责厕所工作的清洁工还没有来得及清除。

3年前，开车去南部一个大城市，中间路过了一个休息的地方，下车，方便一下，再补充点水。这个地方远离城市，四周都是大块的玉米地。我推开洗手间的大门，看到一位老人正在擦洗手间里的洗手池，他把水池边擦了又擦，然后，又擦水池上面的镜子，那上面也就是有几个水点的痕迹，一点也不显眼，但老人还是先喷上清洁剂，然后，一擦再擦，擦完了，还退后两步看看，满意了，又干别的活了。

最恶劣的印象是在芝加哥市中心留下的，有一次干什么来了，反正下车，去了麦当劳的洗手间。一看便池，充满了污秽，臭气扑鼻。在美国这么多年，城市乡下都去过，还是第一次看到这么脏的厕所！

后来，听到一个在市中心经营麦当劳店的老板抱怨，说每一个月他们洗手间的水费就得花四五千美金。在城市办事的人，谁想方便了，都可以进麦当劳的洗手间方便方便，没有职员敢拒绝。我无语了，我那天也属于只进厕所但却不买汉堡包的人。

麦当劳之类的快餐店和加油站，是行人方便的最佳选择。

最看不惯美国厕所的，就是人们浪费纸张，别的不说，就说洗完手之后吧，有人从机器中拽出一张纸巾，又一张纸巾，擦一下，就扔到了垃圾桶里。看到这样的景象时，我时常为树木叹息。

2007 年 6 月 11 日

【网友评论】

哈，在大陆找厕所特容易，不管是装修多么豪华的商场，只要寻着味道找，一定不会走错。

——卡秋莎

呵呵，最近得空调病戒了几天网瘾，今天主贴不发，专项贴。建议此贴发至县团级，由九品以上代表认真组织学习，而后，公费去美国考察三个月，回国后，立马儿盖一批五星级厕所（国内早就有城市大佬这样干了。）。从此，收费没商量。

——老怪 wgm

山深水清

我走累了，躺在"山之家"公园的椅子上就睡了。正睡得香，手机把我吵醒了。朦胧眼睁开又大力地睁开，但就是找不到手机在哪里，好不容易找到了，铃声却停了。

我醒了。

过了一会儿，手机又响了。是小徐打来的，她告诉我，她先生马上就来接我，把我送到马牧师家。小徐的先生是美国人，名字叫史迪温，我们在教会见过一面。

几分钟后，史迪温来了，一坐上他的车，我们就聊起来了，不知道哪句话碰出了火花，他说："真的，你喜欢自然风光？"

"当然。"我回答。

"那我带你去看看。"

"太感谢了。"

说话间就到了马天赐牧师家，我说，史迪温要带我出去看看。天赐说："好啊，别忘记了回来吃饺子。"想忘，那么容易啊。马牧师夫妇正在包韭菜馅饺子，这韭菜是李传富夫妇送来的，今天上午他们带了一大筐菜到教堂，把它们分给兄弟姐妹，菜是他们在自家地里种的，没有撒农药，也没上化肥。

史迪温开车出了城，向山上开去。山脚下，零散的几户人家，一家养牛，牛扭着头看山；一家养羊，羊儿卧在草地上，看我们驶过。路的这一边，一条小溪弯弯曲曲，蓝蓝的溪水从石头上漫过，大石头，小石头，都清晰可见。

上山的路渐渐陡了，开了一段路，路边一个大水坝。史迪温说，马牧师喜欢在这里钓鱼。水坝挡住了山泉水，泉水汇集，成了一条狭长的湖。湖面如镜，偶尔，一两条鱼儿跃起，荡起了几圈水波。

湖边，隔上几十米，就有一个人或者两三个人在钓鱼，有一对钓鱼的夫妇还领着两个孩子和一条狗，小狗就卧在孩子旁边。另一处，一个中年妇女坐在椅子上，手里握着钓鱼竿，嘴中叼了一根香烟，烟云慢慢升腾。

越往上行，山越静，水越清，连空气也多了几分凉意。山花的芳香，一阵阵地扑进了鼻子里。

在一个略微宽敞之处，史迪温把车停下来了，说这是 Watauga 湖。湖在几座大山之间，安静地注视着长空。山绿，水也绿。长空，一片湛蓝，它浸入水面后，在飘逸之外，又平添了几分灵气。

照了几张照片后，史迪温告诉我这水坝的名字，可惜，我当时没有记录下来，后来，他给我发了一封电子信件，详细地告诉了我每一个河流和水坝的名字。我只知道这水（Watauga river）流出这山谷之后，进入了另外一条河，然后，流入田纳西河，田纳西河与俄亥俄河汇合后，流入密西西比河，而密西西比河的水，流进了大海。

为了让我看得尽兴，史迪温带我走下了小山坡，一直走到水边。一到水边，我眼睛马上就亮了，这水，怎么这么宽阔、这么清纯？简直不知道怎么形容才好。史迪温说，这里的水，没有任何工业污染。我拿起一块大石头，扔进水面，只起了一点点的水泡，就好像跳水运动员跳进水里一样，看不到什么水花。史迪温说，这湖水有三百多英尺深。

"嗨！鱼！"我不自觉地叫了起来，一条，两条，三条，就在我眼前晃来晃去，全不在意我对它们的一片痴情。远处，几只游艇在湖中荡起了水波，泛起白色的浪花。

一个女人牵着小狗散步，绿色的草地，金色的小狗。"嗨！"我们彼此打招呼。

转过一个小坡，绿草间露出一条褐红色的土，史迪温说，这是鹿走过的路，它们走过这里，到水边喝水。我细看，鹿儿的足迹，似有似无。刚才在半山中，曾经看到一头小鹿，站在绿树和绿草间看着我们，一缕金光，照在它金色的身子上。走到停车场附近，一家人正在山坡上的树林中间野餐，孩子哈哈大笑，大人跟我们招手。

下山，好像走的是另外一条路。一会儿，车子开到了另外一条小河旁。河旁，有人准备露营，有人烤肉。木块的香味，肉的香味，淡淡的，都钻进了鼻孔，不由得我多呼吸了两下。河水靠着青山，水面上雾气缭绕，时而长长的，像彩带一样，要飞起来；时而，如飞机上看到的白云，朦朦胧胧。但最美处却是雾水相间，半是雾气茫然，半是碧水清澈。

下山途中，史迪温带我看了一处又一处山。山山与水相连，并映入水中，水动，山不动。史迪温向一个老人问好，祝两个钓鱼的少年好运，跟一个烤肉的妇女说"享受你的晚餐"，跟一条黑狗说"嘿"……

我微笑："你好。"

"你好。"

史迪温问我，要不要看一个小教堂。我说"好"。于是，我们俩穿过公路，来到一条林荫小道上。小道一路上坡，被茂密的树叶全遮住了，显得暗淡。远望路的尽头，有几线光。史迪温说，穿过黑暗，光就在前头。

我们走在光之中，光照在我们身上，也照在教堂上。教堂很小，一个大平房而已，墙边，种了一些小花。离教堂不过两尺，是一块墓地，我们看了一下碑文，有好几个人死于 1923 年前后，他们都是小孩子。

教堂前面，有一个小亭子。小亭子后面，一行绿树。通过硕大的绿树，看到夕阳下的小桥。桥下的河水，载着满川的光静静地流。

电话又响了，但听不到声音，是山高的原因吧。肯定是马牧师他们喊我们回去吃饭了，一看时间，已经 7 点半了。

走吧，连太阳都要落山了。

2007 年 6 月 18 日

【网友评论】

旅馆房间的色调是我喜欢的，估计不会有温柔电话问是否需要按摩。

——猫爪轻扬

范牧师好！语言生动，文笔流畅，小费不多，道理不少。唉，"风景那边独好"呀！顶一个！

————老怪 wgm

美不胜收，范先生真有福啊！

————齐鲁狂生

到大陈岛去，航行二个多小时，海水仍然混浊不堪。不看楼主的照片，我还以为我看到的就是大海的模样呢，原来这世界上还是有清净的地方！

————南冠客

强烈建议以后文章要配图，特别是自然风光的！！

————陈翰捷

范先生已经在每个人的心中贴了一幅图。个人收到自己的就好了！

————实实

虽然我爱山不爱水，但是这么美的意境，还是顶一下。

————西域狂生

老范的帖就一个字：有生活气息。

————老怪 wgm

范先生在画饼，我们在充饥。

————如板行歌

一位 ABC 的选择

那天我在一个华人教会讲道结束后留了下来，因为听说一位 ABC（生在美国的华裔）要来分享他去中国的计划，我想听听他的故事。

这个 ABC 是个小伙子，三十上下，典型的东方人脸，像华人，也有点像韩国人，西服革履，面带微笑。说句大家好之后，就用普通话开讲了，讲的不是很流利，有点复杂的观念，他还得用英文。

"我出生在美国，一直到 13 岁那年，才去教会，是母亲领我去的。一开始我待在车里不想进教堂。后来，架不住母亲劝，又听说我过去的一个好朋友也在教堂里，我就进去了。那个好朋友是个女孩，我们好久没有见面了，我想看看她是不是变得更漂亮了。"

"教会给我的感觉还不错，于是我就参加了教会组织的青少年团契，参加的人都是 ABC，大家彼此接纳，彼此扶持，成为朋友。这让我在所谓的青少年反叛时期，真实地经历到上帝的爱。两年后我就受洗了，很快，高中也毕业了。"

"上大学的时候，我参加了一个亚裔基督徒团契，是一个韩国的牧师带领的，韩国牧师对我们的爱，真叫我深深地感动，我明白了一个基本真理：做一个基督徒，就要活出上帝的真理。从那个时候起，我心中就有了一个渴求，我祈求上帝把我带到我的同胞当中去。"

"大学一年的时候，我与父母发生了冲突。"他说到这里笑了，"你们都知道啊，我们中国父母一般都让自己的孩子学习四个专业：医生、律师、会计师和工程师。"坐着听他这么说的人，直点头，有的还笑出了声。他说："我父亲是科学家，母亲是护士，当然了，他们让我学的就是工程师。可我爱好文学，想做英语老师。老爸听了很生气，说你要是学英文，我就不管你的学费了。"

他跟牧师谈了他的挣扎和痛苦，牧师让他好好祷告，清楚上帝要他做什么。他在读《圣经》和祷告中都清楚地知道上帝的话，要孝敬父母。于是，他就开始选修工程方面的课，课是上了，但很痛苦。他说，"我的心很痛。"

那年，团契举行了一次特殊聚会。会上，韩国牧师向兄弟姐妹们发出挑战："如果你要为上帝服务，你为什么不用全人、全心、全部生命来为上帝服务呢？"

他在这次聚会中第一次听到了"海外宣教"这个词。他听到以后就在心中祷告："主啊，我愿意把我的全部生命都奉献给你，我的事业，我的一切，我都愿意奉献给你。"

"不久后，我回家了。一路上我都在想，怎么跟父亲谈？我一边想，一边为这个即将开始的谈话祷告。我是从车库进家里的，推开门一看，父亲背对着我，正在读书，于是，我就在心里说，今天就讲。我说：'老爸，我要做一名教师'。父亲没回头，就说了一个字：OK。我弄不清楚父亲到底听没听到我说什么，就又说：'老爸，你听到没有，我要做一名教师。'父亲回答：'OK，如果那是你愿意的。'"

"成了。我开心死了。"

回到学校后，他和几个兄弟姐妹开始了一个祷告会，求上帝复兴中国人的灵性，求上帝把他带到中国，用英语教学来为中国人服务。

大学毕业后，他到一所高中去教英文，希望积累一些英语教学的经验，同时，又修了如何教外国人学英语的硕士课程，又在教会的青少年团契中作辅导工作。一晃，几年就过去了。

他说："我很快就要去中国了。就在三个星期前，一件事大大地安慰了我的心，我的老父亲信耶稣了，他也成了一个基督徒，我和母亲听到后非常感谢上帝，因为我们为这件事祷告了将近二十年。"

不过，他也坦白地说："我父亲身体不好，他有点担心，我也有点担心。但我相信，上帝会照顾他的儿女。"

结束这次短讲前，他说了一句发自肺腑的话："人生最难的，往往就是放弃我们自己最爱的东西，对于这些东西，我们往往紧紧地抓住不放。但是，上帝的计划超过了我们的想法。我们应该记住，上帝为我们舍弃了多少，以至于我们的心可以转向他，为着耶稣基督而活。"

2007 年 7 月 2 日深夜

【网友评论】

我们能抓住什么呢？

——斯人独憔悴

深深地祝福。

——石头的家

我们都被张伯伯震住了

我们教会分了好几个小组，每一个组十来个人，两周聚会一次，一般都在兄弟姐妹的家中。昨天在我们家就有一次小组聚会，我发通知晚了，好在是 E 时代，一个电子信件就全部解决问题。

邀请朋友们到我们家来，有个好处，逼着我得清扫房间，一动手，灰尘还真不少，拿抹布擦吧。忙活完了卫生接着煮粥，枸杞子、红枣和小西米煮一锅粥，另外，用买来的现成的料，做一锅豆腐脑，头一次做，还凑合。

7 点半以后，朋友们陆续来到。8 点钟开始，先唱歌，我儿子弹钢琴，我领着大家唱，唱了四首歌。今天晚上，有几个新朋友来了，大家彼此介绍。

我们今天晚上学习的是《圣经》中的《诗篇》的第一百一十一首。对于这首诗，有一位诗人写到："赞美是人心满意足之后的自然流露？非也。它乃是被救赎者经过深思的回应。赞美并非涌自我们良好的感觉，而是源于上帝美善的作为。我们不是在自己愉快时，而是在明白神的美善时，向神发出赞美。"

大家讨论圣经为什么要上帝的儿女赞美主。我说，当年才来到美国的时候，听到基督徒说"赞美主"，我觉得很肉麻，怎么跟我们当年赞美伟大领袖一样。后来发现从根本上就不同，就形式来说，一是自愿的，一是被迫的；而实质上，一是对神的，一是对人的。我说，从一个方面来说，赞美上帝，就是心灵渴望被上帝所吸引，所引导；而之所以如此，是因为上帝的美善打动了我们的心，他能力的伟大令我震撼。

张伯伯是第一次到我们这里来，是和女儿、女婿以及外孙、外孙女一起来的。老人70岁上下，开朗，爱笑。他说："我是来美国后信主的。女儿领我去教堂，我回到家中以后，十来天，把新约从头到尾读了一遍，一边读，一边流泪，这就是我要寻找的上帝啊，今天我终于找到了。在来到美国之前，我从来就不认识上帝，也没有听说过耶稣基督。"

"不久以后，在我们教会的一次布道会上，我就举手信主了。"

"我是一个非常普通的人，但上帝真是怜悯我。有一次，就我自己一个人在家，那是个下午，突然，我觉得自己的嘴巴掉下来了，嘴怎么也合不上。我赶快到洗手间，照镜子一看，不得了了，样子吓死人，嘴歪了，直流口水。我不想外孙回来看到我这副样子，也不想上医院，听说医疗费太贵了。怎么办，我就跟神祷告，我说，主啊，我这个样子不好，求你帮助我……"

"在我祷告时，也就不到一分钟，我就听到一句话说，'低头，张大嘴'。我知道这是上帝跟我说话了，于是我赶快低头，张大嘴，不一会儿，我觉得好了，抬头一看，什么事也没有了。"

我问："伯父，你听到声音说'低下头，张大嘴'？"

张伯伯回答："听到了，就是五个字：'低头，张大嘴'。"

"过了多长时间好的？"

"不到30秒。"

大家都不敢相信。有的说："哇，真盼望我也会遇到这样的神迹。"有的说：

"你还别冒这个险，万一上帝不答应你就惨了，嘴合不上了。"

张伯伯说："从那以后，一听到赞美神，感谢主，我就高兴，我想说我的故事。不久前，一个来美国探亲的老人，听了我的故事以后，也信主了，最近受洗了，我听到了真高兴。"

结束聚会前，我们分男女两个组祷告，张伯伯祷告时，就像跟上帝谈心一样。

分手的时候 10 点多了，在分手前，还有些朋友一再议论张伯伯的故事。

2007 年 7 月 21 日

【网友评论】

对于发生在别人身上的不可思议的事情，人们容易嗤之以鼻。但实际上，人们又盼望着不可思议的好事常常光顾自己。人们常常挂在嘴边的词汇有：不可思议、匪夷所思、难以想象等等。如果有人能把什么是可能、什么是不可能发生的事情的界限划出来，那我就愿意承认他是个鉴别"神迹奇事"的专家。

——马多

信上帝的买房打折不？信上帝的买猪肉便宜不？

——homcear

第一次带上数码相机出门

今年的独立日出门时，我带上了数码照相机，这是我这一次出门带相机，要为猫眼看人的网友照些照片。自从我在"猫眼看人"上写"活在美国"这个系列文章，转眼间，三年过去了。从今年年初开始，一些网友就一再要求，说我应该拍一些照片，让他们看看我写的地方是什么样的。恭敬不如从命，我只好照办了，但我跟大家声明，我对照相一窍不通。

我是参加奥克兰华人教会举行的营会，营会在密西根的一个大学里举行，大学的名字叫萨吉诺谷州立大学（Saginaw Valley State University），以前没有听说过，下了飞机场一看，原来它在一个小镇的边上，四周空荡荡的。

我们住在学生宿舍，吃在大学的食堂，自助餐。会议就在学校的大礼堂中举行。奥克兰华人教会教会不小，来了两三百人，大人小孩子都有。中文聚会除了我之外，另外一位主讲者是周淑慧牧师，她是富勒神学院的博士，专业是家庭婚姻辅导，现在住在加州，当牧师二十多年了。看她现在的样子，应该是过六十了。

星期四晚上，她下飞机之后，别人开了将近两个来小时的车，把她带到了大学，她赶到会场时，正是该她讲的时候，她讲了什么，我没有听到，因为我有另外一场布道。我听到了她第二天上午的演讲，她以《圣经》中的诗篇第一百三十九篇作为演讲的主题，讲与神建立生命关系。她的基本观点是：神认识我，他与我同在，他塑造我，他鉴察我。

我记住了她讲的一个故事。她中学时学习成绩非常好，但是，由于家境困难，她需要帮助家里照看一个小铺子，不能继续读书了。毕业前，老师问全班的同学，你们谁想继续上高中的，请举手。同学们都举手了，但是，她没有举手。她知道家里没有能力供她上学。这件事被校长知道了，校长就找到了她家，对她父母说，无论如何，也得让周淑慧上高中，学费学校里可以帮助。就这样，她就上了高中，上了大学，一个人的命运就被改变了。

多年后，老校长快到 80 岁的时候，信了耶稣。他们师生再见，都很激动。

周牧师那天说，无论过去怎么样，有些锁链我们必须打破，我们要有一个新的起点。人生有许多起点，我们未必每一个起点都走得好，走的得意，但我们应该努力让每一个起点都有一个好的终点，让每一个起点都同永恒连接起来。

第二天上午，她讲到了教会，她说教会是神的家，在家里，兄弟姐妹要互相饶恕，互相扶持。她说："我作了二十多年的牧师，我知道，牧师其实很软弱，需要弟兄姐妹的扶持，大家一起同心走前面的路。自从我要到你们教会来讲道，我就一直为你们祷告，为你们的牧师祷告。"

她最后邀请弟兄姐妹们和牧师一起来到前面祷告。许多兄弟姐妹走出了座位，来到前面，拥抱牧师、师母，大家一起祷告。有的流泪了，有的跪在了地上。我知道，这个教会去年出现了一次分裂，看到他们这样彼此饶恕，彼此祝福，我感受到了一种来自上天的力量。

那几天，周牧师的讲道一直令我着迷，她讲话语调很平和，故事也很普通，却打动了许多人的心，令许多人流泪，认罪悔改。

7日下午，我独自在校园中漫步，几个工人在运动场忙活。空旷的原野上只有风吹过，在一排绿树里有一个暗红色的小桥，穿过了桥，一个小礼堂出现在眼前，很雅致。旁边的花儿正艳，草儿正绿，一池碧水，蓝得如画，而四周，几乎被绿树包围着。天蓝，云淡，风儿轻轻地吹，一阵，又一阵。

我坐到了椅子上，闭上了双眼，默想。风儿吹到了我脸上，是暖风。一会儿，又感受到它抚摸着我的手，我的腿。我默默地想着周牧师上午说的话：

让圣灵的风，

自由地吹，

把我吹到上帝那里去。

圣灵如风，圣灵如风，我在心中不断地默念，任微风，轻轻地吹过我的身，我的心。

2007年7月22日凌晨

【网友评论】

爱是世间最大的神迹。

——solomonrance

哈哈，为了猫眼看人，我现在外出带相机，就是从7月4日开始的。睡觉去了。

——范学德

我靠，那个神棍又来了，快跑。

——大汉民国

大汉民国：能不能换个新的帖子别老重复自己。

——范学德

老范，你对他要求太高啦！

——猎人在家

巧遇刘牧之老师的女儿

今天讲道结束后我正准备离开教堂，一位姐妹走过来对我说："范弟兄，你有时间留一下，我同你谈谈话可以吗？"

我说："可以啊。"于是，我们就坐到了教堂后排的椅子上。

她首先介绍说："我是刘牧之的女儿。"

"啊，你是刘老师的女儿啊！"我大吃一惊。

她点头，说："是，这是我第一次听你讲道。"

1982年大学毕业后，我被分配到了沈阳药学院工作，一年多以后，成为那个学院主持团委工作的副书记。团委办公室就在学院的办公楼，刘牧之当时是党委办公室主任，我们在一个楼层，彼此挺能谈得来的。他是40年代参加革命的老干部，但思想很开放，我们经常聊天，他一直叫我小范，我从来都管他叫刘老师。1985年我考入了中央党校理论部的研究生，去了北京，同刘老师的接触就少了。后来见过几面，他那时已经是副院长了。

刘老师的女儿对我说："范弟兄，我就是要告诉你一个消息，我父亲临终前信主了。"

"是嘛？"虽然以前我知道一点消息，但听她女儿亲口道出，还是挺吃惊。毕竟，刘老师十五六岁就参加了革命。今天上网查才知道，他43年就入党了。

她继续说："我父亲1992年就得了癌症，十多年后，又转移了，经历几次手术。最后这次，不行了。我父亲来过美国两次，我跟他说过耶稣基督，他说，他不信，但不反对我信。我信主8年了。

"我父亲病危的时候，正是我事情最多的时候，我把孩子托给别人，还是回去了。我希望我父亲在离开这个世界之前，能够信耶稣。我哭了一路，祷告了一路。回到沈阳后，我禁食祷告，希望我父亲能够信主，但他说，他不信。

"我给他放基督教音乐听，他不反对。我天天流着泪为父亲祷告。

"那几天经常急救，病房里人很多。5月27日上午，突然病房里没有人了，就我和我母亲陪着我父亲。这时候，我流着泪握着我父亲的手祷告。我说，主啊，求你救我父亲。我问我父亲相不相信耶稣要拯救他，他突然说他相信。

"他还说了几句话，他说：'这些赞美的话，其实我都会说，只是以前没有说出来。来日方长，以后和主在一起的日子就多了。我的心现在非常畅快。你拿本基督教的书给我看。'"

我问刘老师的女儿，刘老师那时候的神志是否很清楚？

她回答，非常清楚。我们谈了将近半个小时。我母亲也在场。我母亲从小上过教会学校，退休后信了主。那天她听我父亲这么说，心里得到了不少安慰。

她说，我父亲28日凌晨走的，他走得很平安。

今天晚上，刘老师的女儿又给我打来了电话，把她当年日记上记的这些事情，再一次告诉我。

2007年7月23日凌晨1点

【网友评论】

面对死亡，即使是药学院的老专家，也不得不谦卑。人的一生，其实就是走向死亡的过程。这是谁也逃脱不了的命数。

——howd

信主的人心中的上帝无限崇高伟大，但在别人看来那或许只是他一个人的主。不过谁又能保证自己始终是旁观者呢？总保不准哪一个时候，无助的你会虔诚的跪下来祈祷。人，终究脆弱。

——王的说

刘老是不幸的，本应该颐养天年的晚年一直在和病魔作斗争。刘老也是幸运的，因为他在生命的弥留之际选择了信耶稣。在那一刻，这位风风雨雨几十年的老人一定在心中感受到了前所未有的宁静，愿老人家在天堂里一切都好。

——风唤雀翎

第一个来到我家的猫眼网友

小郭是我们的老朋友了。昨天晚上，她留下电话说，今天要带一位朋友访问我。说来就来，今天临近中午时，他们来了。之前小郭给了我一个电话，问我是否方便？我回答："现在，我巴不得有人打扰我。"

小郭带来的朋友姓姜，六十多岁，一头白发。和小郭说几句话之后，我对小郭说："你去上班吧，我可以送姜先生回家。"

小郭说："你们好好聊吧，他是你的粉丝。"

我说："开国际玩笑。"

小郭走了。

我和姜先生坐到沙发上开聊。姜先生说："范先生，我看过你的《活在美国》

这本书，我以为你是很严肃的人。"

我问："怎么会有这个印象？"

他说："你书上的那个画。"

噢，是这么一回事。原来是依栏读简的画作怪。

姜先生是老大学生，早就看过我在"猫眼看人"上发表的文章。这次来美国探亲，正好到小郭家住几天，小郭是他妻子的表妹。有一天，他无意间跟小郭说："其实，我常看你们美国有个范学德写的文章。"小郭就告诉他："老范就住在我们邻近的镇子上，是我的朋友。"就这样，小郭就把他带到我们家了。

姜先生说："打扰你了，你这么忙。"

我说："哪里哪里，我很高兴，这是第一次有上'猫眼看人'的网友来到我家。你来得正是时候，我正在猫眼上吵架。你等我一下，我告诉他们一声。"

姜先生说："我经常上网，前一段看到你有好长时间没写了。"

我说："有时候真想逃开。"

姜先生说："有个信仰挺好的。中国人现在什么都不信，就信钱。现在真是的，你什么也不敢信。吃肉，肉里有毒；喝水，水里有东西；假酒，假药，人命关天，他也敢给你来假的，你说要命不？"

我说："是可怕。"

他说："我以前来过美国，去过教堂，信教挺好的，教堂里的人都挺热情的。回国后我也去过教堂，离我们家不远，人真多，就是地方太小了。看来，想建教堂不容易。"

我说："可以理解。"

他说："佛教挺受扶持的。"

我说："也可以理解。"说完后我提议："老兄，我带你到我们附近走走怎么样？"

姜先生一出门就说："你看这天，这么蓝，多美啊。中国的大城市里看不到了，乡下有些地方也许还能看到。还有这空气，都能闻到草的香味。"后来又说到路，他说："美国不像我们那里，路刚刚修了几年，就起包了，掉皮了。再重修，钱花老了去了。多花的钱都到谁的腰包里了？"

我接上一句网络名言："全世界都知道。"

走过林荫小路，看过一个小池塘，又看了一个小学校。

老先生照了许多相片，他喜欢照民居。我喜欢照路。

回到家里后，我送给他几本我写的书，又说到了信仰。我们说到上帝是爱，说到人都迷失了。说着说着就快到 3 点了，于是起来，我送儿子去网球俱乐部，把姜先生也带上，领他再多看一个西洋景。然后，又看了一个小公园。再然后，送他到他表妹家，在那里，我看到了他太太，高兴地又聊了一阵子后，他们夫妻说，看来回国后是得去教会了。

我说："愿上帝祝福你们。"

回到家中，已经 4 点多了，网上也安静了，于是，开始记录这次小聚。第二天中午，又蒸粽子吃，昨天姜先生送我的，7 个，豆沙馅，还有几粒花生，很可口。

2007 年 7 月 26 日

【网友评论】

老范三句不离本行，所以一定有人不爽。

——激情老道

范老师加油．只要狂犬派的不来，范老师的帖子从来都是温馨和谐的。某些人可能就是受不了范老师对和谐的注释。

——倒霉熊

还是多写点这类文章吧，不要参与什么争执。网络上说白了，任何争执都不会有结果的，徒然浪费时间。况且，有时候人家或许故意引你争执呢！最好的办法我认为是不参与不理睬任何争执和故意搅帖者，看都不要看，写自己想写的，说自己想说的好了。

——倚栏读简

我病了，我需要你们帮助我

快五点半了，我赶紧带上已经做好的两道菜，开车直奔特蕾莎家而去。她家今天开 Party，庆祝姚卓君姐妹化疗顺利结束。特蕾莎和姚卓君都是我们教会的老会友。

今晚的 Party 来了二十多人，每人都带上自家的拿手菜，我大吃了两盘，解馋。吃完后，主持 Party 的南茜姐妹领着我们唱歌，第一首歌《野地的花》。这些年来，我几乎走遍了北美，参加各种布道会、福音营，在这些聚会中，大家唱得最多并且最受大家欢迎的歌曲之一，就是这首《野地的花》。接着，我们又唱了《耶和华是我的牧者》和《天父必看顾你》。唱到"我虽然行过死荫幽谷，也不怕遭害。因为你与我同在，你的杖，你的竿，都安慰我"，我心里深深地被感动了，相信卓君也必是如此。

卓君姐妹起来讲了她的故事。一开头她就说，这一次上帝不仅医治了她的身体，也医治了她的心灵。

"我从小就功课不好，在中国叫学习不好，哪方面也不突出，于是，在公共场合就成了隐形人。我认为，我是一个不重要的人，没有人在乎我，从小到大，一直到结婚，我都是这样认为的。爱咪（卓君的小女儿）快出生的时候，博文（卓君的先生）要到欧洲出差，我就让他去了，我不重要，你不用管我。我也不敢跟别人讲。当时阿姨照顾我，正巧她下班晚，又要加班，我也没敢请她多陪陪我，就一个人，在产房孤单单地待了二十来个小时。产后，留下了抑郁症。

"这次，上帝给了我力量，使我有勇气让大家知道，我有病了，我需要你们帮助我。第二次上医院的时候，我就告诉博文，你请一天假陪我到医院。我也告诉同事，我得乳腺癌了，我还告诉兄弟姐妹为我祷告。

"礼拜六那天医生告诉了我检查的结果，当天晚上，我们教会有个募捐晚宴，我就告诉学德的太太，等学德回来，请他为我祷告。那天晚上，保罗（教会的传道人）也在场，他在第一桌，离我们挺远，我想请他也为我祷告，但不好意思过去。就在这时，我们要演节目了，保罗突然走到我旁边，我就跟他说，今天检查结果出来了，我得了癌症，请你回去为我祷告。保罗说，为什么要回去才祷告，让我们现在就祷告。"

卓君继续说："这回，我一共做了 36 次化疗。礼拜五，是我做化疗的最后一天，礼拜四，我一到办公室，哇，一大束玫瑰放在我的办公桌上。美国同事们的祝贺，令我好感动。"

"在这次治疗中，我真是经历了神的恩典，他一切都预备。真是感谢神。"

卓君讲完后，她先生林博文接着讲："真的。上帝都预备。她病检查结果出来后，我们看片子，怎么看，也看不明白。正好那天教会吃午饭，张琳医生也来了，马上给我们看了，并且介绍最好的医生。不久，教会晚餐，一位很少来教会的姐妹来了，就坐在卓君的旁边，她也得了乳腺癌，刚刚结束化疗，就告诉我太太各种情况，还有一位老朋友，好几十年不见了，就在那几天来了。有些事情真是奇妙。"

南茜姐妹让我讲几句话，我说的第一句话就是："卓君，我今晚回去就写你的故事，希望能够帮助遇到类似问题的朋友……"

我刚讲完，卓君就站起来了，笑着说："学德，既然你要写这个故事，我就多讲几句。连续十多年，我都一直作乳腺检查，都没有事。这次，医生叫我做第二次检查，我知道神会与我同在，我不害怕。检查结果确定之后，马上就要做治疗，我和医生预约了治疗的时间，没想到，遇到了紧急情况，需要改时间，可一改，就得等两个月。我去看病的医院离我家很近，但也很小。于是，医生介绍我到海伦公园医院看，那个医院很大，一去，就确定了化疗的时间，我的事情办完后，马上就可以开始。

"那时，我们俩就开始找医生。有两个，一个西北大学的中年医生，一个是老医生，六三年就大学毕业，但他是美国人，没有照片，我觉得他可能太老了，所以就准备找西北大学的医生。

"前面不是说看片子那件事吗？张琳医生平时参加我们教会英文堂的崇拜，那天，我们中文堂崇拜结束后，我就在门口等她，可是，一直到中文堂主日学快开始了，她还没有出现。我想，我不能不上主日学，我得先求神的国，于是我就先去上主日学了。上完之后，我就到教会的地下室吃午餐。张琳从来不到地下室吃饭，但那天她却突然来了。

"怎么一回事呢？原来，坐在她旁边的林太太主日崇拜结束后，把眼镜落在椅子上了，她来帮林太太找眼镜。正好我对着门吃饭，她一来我就看见了。她就给我看片子了。然后，我们也没有问她，她就说，在他们医院中，哪位医生是最好的医生。我一听，正是那位美国老医生。于是我就决定去看那位美国医生。我相信，这是上帝为我准备的医生。但他很有名，一般很难预约上。哪里想到，我一去预约，正好下个星期三四点他临时有了一个空，于是，我就去了。

"我做手术的时候，是笑着进去的，一点也不害怕。我知道，上帝与我们在一起。"

卓君又说："我跟大家说点另外的事，就是怎么安慰人，为别人祷告。我得病之后，大家都来安慰我，鼓励我，对我帮助很大，但有的话并不是我最需要的。那天，在教会我遇到了潘师母，我就请她为我祷告。她却反问我，你让我为你祷告什么？我愣住了，是啊，我让她为我祷告什么呢？潘师母接着说，你现在最担心的事情是什么？这才是你要全力去祷告的。其实，我不怕死，我也不担心能不能治愈，也不担心爱咪（10岁）如果没有我了会怎么样，我相信，上帝会看顾她。这些年来，上帝一只看顾我们。我最担心的就是因为我治病影响我们家里的生活，孩子放学了，谁接，晚饭怎么办？我不希望因为我生病而影响了家里的生活。我最担心的就是这个。于是，我就知道我要为什么祷告了，也知道让兄弟姐妹为我代祷什么了。上帝听了我的祷告和兄弟姐妹的代祷。"

卓君最后劝各位姐妹一定要定期作乳腺检查，不要以为过去没事，现在就没事。越早发现越好。但最重要的是，无论发现了什么，不要怕，神的恩典够我们用的，而且超过了我们的所求。

8点半多我们离开了特蕾莎的家，出门一看，半空一轮明月，又大又圆。四周散发出一圈明亮的清光，这么圆的月亮，是农历十几啊？

2007年7月29日凌晨一点

【网友评论】

安静地写下去，请别忘记猫眼有很多喜欢看您文章的朋友。流泪撒种，欢喜收割。

——卡秋莎

呵呵，我说的话，老范应该能理解的。传道，是一件极具功德但又坎坷崎岖的事业。立志走这条路的人都要有平和的心态迎接任何挑战。任何急功近利的心态都是不对的。

古人云：人在人间必有一贪，无非名利。有的贪钱，有的贪名。老范为自由抛家去国，在美国甘愿做了清贫的传道人，算是过了钱这一关。但是稍遇挫折，就心绪郁闷，还没过名这一关。不只是当官才叫名，急功近利，求千秋不世之业同样是名。看看特丽莎修女，一辈子默默献身基督，献身世人，那才是多么伟大的情怀。

老范不能用忍，忍不是真的看破。要对自己遭受的屈辱和误解从内心感到欢喜，才是真正的看破，你受到屈辱了，你受到误解了，你受到攻击了，说明你正走在基督走过的路上，说明你的话语在世界得到了回响。这世界上还有比这个更让一个真正坚定诚挚的传道人欣喜的吗？

——超级火炮

你的价值不在招来多少辱骂和反对的声音，而在使身处黑暗却渴望光明的人通过你真切的叙述，对未来拥有了一份信心。

——连晨

老范，我爱看你的文章，很受启发。你的文章使我懂得许多做人的道理。从不信神的我渐渐地对上帝有了认识和好感。原来真正要拯救人们出苦难的是上帝。也许有一天我也会成为一名上帝的子民。愿主保佑你保佑我保佑受苦受难的人。

——nifuqiu

这次航班没有取消

临时决定全家一起度假去。花了两三天的时间，上网、打电话、订船票、订飞机票、订旅馆，然后，塞满一大箱子随身用品。走，度假去。

7月29日一大早，不到六点，一位老朋友开车来了，送我们全家到飞机场，开我们家的车，我开去，她开回。她这几天正好要借用一下我们的车。俄亥俄国际机场人特多，乱糟糟的，花了半个多小时的时间，才搞定托运行李的事，又排了一阵子的长队，终于进到了里面候机。

我们乘的是美国航空公司的飞机，目的地是佛罗里达州的迈阿密。在那里上船，豪华游轮，终点墨西哥。其实，本来打算去阿拉斯加的，可惜，计划得太晚了。

7点半上飞机，坐下不一会儿，我就睡着了。醒来一看，9点零5分，飞机稳稳当当的，我以为它在高空中哪，揉揉眼睛看看，不对，我看到了别的机舱口，还有往来的汽车。天哪！飞机根本就没动。问左右的人是怎么一回事，原来是飞机的一个泵坏了，正在修。过了二十来分钟，机长报告，没有修好，对不起，请大家下飞机。

带上随身行李，下飞机。一些乘客一出机舱口，立即到柜台办理改乘别的航班的手续。我不急，找个椅子坐下，看书，书是中国内地出版的，《觅人的上帝——犹太教哲学》，满有趣的。看了没有几页，忽然听到柜台女服务员通过扩音器大声地喊，请各位乘客不要相信流言，这次航班没有取消，飞机正在换几个零件。请大家安静等候。

想安静并不容易，我担心今晚能否赶到迈阿密。祈祷，读书，我终于安静下来了，静了将近半个小时，觉得太静了，站起来，走到了服务台前，小姐正在通电话，公告板显示，飞机仍然飞往迈阿密。

终于，飞机修好了，大家再次登机，这时候，已经11点过5分了，距预定的起飞时间，晚了整整3个小时。

将近3个小时后，飞机着陆，迈阿密国际机场。不曾想，还没有到机舱出口，天降大雨，闪电阵阵，机长又说："对不起，请大家耐心等待。"

还好，这一次只耐心地等了十多分钟，就走出了机舱。到行李提取处取行李，被告知，由于雨大，行李提取暂时停止。一队要赶四点多开船的乘客，跟着导游的小旗走了。行李，航空公司会送到他们今天晚上住宿的地方。

雨停了，我提着行李到机场门口，打出租到旅馆。

街上的空气，真新鲜，使劲吐几口气，再深深地吸一口，舒服极了。

2007年7月30日

【网友评论】

出游的时候，带本书是有智慧的，可以让意外的等待变得有趣。

——howd

这一路是有点折腾……

——王的说

不愧是范老师，班机延误了3个多小时还这么淡定。这要是我，怎么也得堵着服务台跟他们讨个说法啊。就算不让他们赔点儿钱，还得得混一顿免费的夜宵。呵呵。

——风唤雀翎

热情滚滚而来

30 日中午，我们登上了巨型游轮嘉年华号。一上船，热情就像迈阿密的天气一样，滚滚而来。欢迎、照相之后，服务员问："是否需要帮助您提行李？""您的房间在这里，午餐已经准备好了。"……

我忙不迭地说，谢谢。谢谢。

放下行李吃自助餐，大厅敞开，面对着游泳池，汉堡包、薯条、各种饮料，随便享用。年轻的招待走来走去，没看到女招待，一色小伙，手托着盘子，盘子上是饮料和酒，米黄色的酒杯上面，斜插着一把彩色的小伞。

四周都是人，或坐在椅子上吃东西，看岸边的风景，或窃窃私语，或躺在躺椅上晒太阳。白色的肚皮、黑色的后背，涂上防晒油之后，黑与白，全都闪闪发光。小孩子有的在水中哇哇大叫，有的在甲板上不停地走。

喝完水后回到了我们住的房间，进去不久，一位招待就来敲门。他告诉我们，这几天他负责我们的一切服务，有什么需要，可以随时找他，24 小时。

顾不得休息，和女儿一起上了游轮船头的甲板，兴致勃勃。一个小运动场，绿色的迷你高尔夫球场，四周环绕着红褐色的塑胶跑道。女儿要和我比赛，看看谁跑得快。我说："好。可我们没穿旅游鞋啊？"

"没关系，光脚。"

我光脚先试了一下："烫死我了。还是回去先穿旅游鞋吧？"

"不。"

"好吧。"

"一，二，跑！"

脚底火辣辣的，不加速也不行，超出女儿几步后，慢下来，等她赶上我。

最后，跟在她后面冲刺。"爸，我赢了。"

"好！祝贺你！"

我坐下看脚。四五个大泡。

"爸，我才一个。"

"好，祝贺你，你又赢了。"

广播通知大家，回到自己的房间，带上救生衣，到剧场。进去后，一个挨着一个坐好，实习如何面对紧急情况。总指挥让我们先来的等一会儿，各个房间的服务员要检查每一个房间，确保所有的游客都到这里。

大家都来了。

已经穿好救生衣的服务员，教每一个人如何系好救生衣，小孩子也不放过。

总指挥说："大家不必担心，这条船比泰坦尼克号大一倍，高一倍，有最先进的导航设备，并且，从这里到墨西哥，在地图上只有一寸。这艘游轮有两千位游客，九百多位服务人员。"

他还说："遇到紧急情况，要听从指挥，按秩序行动，大家请放心，我们一定会对你们的安全负责到底。我们服务人员会最后撤离。"

2007 年 7 月 30 日

【网友评论】

"大家不必担心，这条船比泰坦尼克号大一倍，高一倍，有最先进的导航设备……"，我觉得，他如果不说这些，乘客可能更安心。

——howd

还记得有一次夏天去海边，太阳很大，我都没有涂防晒霜

——王的说

前事不忘，后事之师。经常提提以前犯的错误不丢脸，丢脸的是犯了错误

还咬牙不承认，谁提跟谁急眼。

——风唤雀翎

儿子会永远爱你

一上了游轮就知道，考验来了。这四夜五天，每天 24 小时，随时都面临着一个考验：吃，还是不吃？

船上的美食太多了，全部免费，24 小时随时供应。

西方人把贪欲（贪吃）视为七宗罪之一，我很难不犯啊，自嘲，但愿别太严重。

第一顿晚餐 5 点 45 分开始，在正式的餐厅（Imagination Dining Room）举行。进门后，一位小姐看了我们的房间号，就请另外一位招待把我们领到了 257 号座位上。我们坐下后，他说"开心地吃好晚餐"，然后就离开了。另外一位服务员立即来了，他四十多岁的样子，热情地要为我们每一个人把紫色的餐巾铺在腿上，我说谢了，我自己来。然后，他又为每一个人分别打开菜谱。后来知道，他来自马来西亚。

开胃小菜我点了泰国烤鸭，真没想到，味道棒极了，而且，不油腻。然后，沙拉、正餐、饭后甜点。平时我基本不吃甜点，但菜单上的甜点太迷人了，吃吧。不但吃自己的，还尝了家里其他人的，真好吃。

宵夜从晚 11 点半开始到凌晨 1 点。

晚 11 点半到了，儿子要尝尝宵夜："爸，我要吃宵夜，或者夜宵，随便你怎么说。"

"好，老爸陪你。"这是 11 年来，第一次正式和儿子一起吃宵夜。宵夜的主食就是汉堡包一类的，我拒绝了。但甜点实在无法拒绝，十几种摆在那里，喜欢哪种味道的，拿就好了，我拿了一块奶酪糕点，味道正宗。

和儿子边吃边聊。一开学儿子就要上高二了，大小伙子了。我笑他怎么那么能吃。

他说："老爸，你信不，我刚吃完不到一个小时，就饿了。"

我说："孩子，你这几天随便吃，包括甜点，爸爸不限制你。"

儿子说："谢谢，当然了，这是度假。"

我不想扫孩子的兴，没有和他说我没有东西可吃的那些黑暗岁月。

孩子高兴地吃完甜点，我们父子一起到甲板上散步。海上的月夜，更加深沉幽远。四方看不到一处灯火，只有一轮明月，高悬在夜空，还有无数的星星，一个一个地闪亮着。我对孩子说："儿子，爸爸很矛盾，有时渴望你很快长大，有时又希望你永远是那个小孩子，爸爸把你抱在怀里散步。"

"老爸，你放心，儿子会永远爱你。"

……

回到房间后，已经快1点了，儿子说："爸，我可以看一会儿电视吗？日本卡通，太棒了。"

"好，没有关系。爸爸先睡了。"

"谢谢你，爸爸，那我把大灯闭了，开床头灯。"

数盏明亮的大灯一下子熄灭了，一盏小灯发出了光。

2007 年 7 月 30 日

【网友评论】

老范是个好爸爸。我也想带儿子去度假了。

——howd

有时对孩子稍稍放纵一下，他会很感激你

——王的说

以前总是太任性，没少惹爸爸生气。如今，您牵挂的儿子已经长大了，在这里对一辈子要强的爸爸说一句："爸爸，儿子永远爱你！"

——风唤雀翎

古巴离这里只有 90 英里

游轮上的第一个清晨，我本来计划要看日出，但昨晚直到凌晨一点多才睡，睡过头了，7 点 10 才醒。船上给的今日活动详细时间表上面写着，日出时间是 6 点 55 分。太阳很守时。

我还是上了甲板。虽然太阳早已经跃出海面，但还是很壮观。几条灰色的云横在太阳的面孔上，金光，火一样地红，静谧地挂在蓝天上。大海，被照得亮堂堂的。黑暗，终究无法遮住光，它可以遮住一时，但不可能长久。

想起一句千古名言：光照在黑暗里，黑暗却不接受光。

清晨的海风颇为柔和，一点点暖。散步吧，前面已经有几个人在走了，我跟在他们后面，走在褐红色的塑胶跑道上。一会儿，又来了几个人，跟在我后面走。走着走着，我笑了，怎么搞的？后来的人不管是谁，都跟我们一样，总是从东面开始，经南向西走，没有一个人逆着这个方向行。

8 点半下游轮，随团旅游，目的地就是船停泊的这个小镇，KeyWest，佛罗里达州的一个小岛。听说，它宽不过两英里，长不过六英里，典型的旅游小城镇。

四个人的费用是 107 美元。

我们是下船才买票的，小姐写了张纸条，就算票了。她说，其他的事情她负责，我们不用担心，好好玩。

一个导游，五十来岁，开着一个小火车模样的旅游车来了。车子有三四节车厢，坐了四五十人。导游叫着，开车啦。然后，摇铃，"突，突突，突突"，一下子想到了童年。

开了不到 10 分钟，导游告诉我们，右边的这所房子就是海明威的故居。两层楼，在一棵棵椰子树的绿叶下，有点黯淡。后来看介绍，海明威作为这所房子的主人，从 1931 年起就一直住在这里，直到他自杀的 1961 年。

海明威写《老人与海》，注视着的就是我眼前这一片天地吗？淡蓝色的长空，金色的太阳，墨绿的大海，暖风漫漫扑面而来，满城的花如画香气四溢。热情的加勒比海人，裸露着上身，爽朗的欢笑，一点点鱼腥味……

面对这如此美景，海明威最后居然自杀了，他拥有了人所梦想的一切，但选择了自我毁灭。

人为什么要自杀？

人心中若无一片永恒的美景，那心灵就成了绝对虚无的深渊。

前行不远，导游告诉我们注意在手边的那个标志：90 miles to Cuba（古巴离这里只有九十英里）。后来，我特意买了两张明信片，一张是海明威的故居，一张就是这个美国最南端的标志。在这个标志上面，有一个三角形，中间是一个美丽的贝壳，三边分别写着 The Conch Republic。共和，Republic 是底边。

脑袋里蹦出三句话：奔向自由。

为了自由，他们宁肯葬身大海。

一时间，我的心变得很沉重。满城的红花、椰子树、彩色的房子、自由行走的男男女女，带不走我那一丝深深的凄凉。

导游开着车带我们在全城转来转去，大道、小街好像都溜达遍了，最后停车在车站。导游说："11 点可以参观水族馆。每人一张票，免费取一瓶矿泉水，地点就在旁边的小店。"

下午 1 点多钟回去。车开动才知道，我们停车的地方离游轮很近，步行也就是 15 分钟的路，拐两条街道就到了。

快到游轮前，两位美国海军军人上来检查证件，哦，游轮停泊的地方原来是海军基地啊，才知道。但这海军基地真是什么也没有了，估计已经撤销了，只留下这几个人看守，例行公事。不过，他们还挺认真，一个一个地检查，检查完了一个，说一声"谢谢"。

2007 年 7 月 31 日

【网友评论】

无论拥有了什么，人生总是不完美的。最有智慧的所罗门也说人生"虚空，全是虚空"。我想，海明威是个理想主义者，不能容忍人生的虚空，所以他选择了自杀。

——howd

我想起了有一次给孩子读书中的故事，他问我，为什么海星有鱼腥味？看来现在应该这样回答，海星在海里啊，海就有鱼腥味啊

——王的说

海明威就是在那所房子里写出《老人与海》的吗？他自杀前是不是也在凝望着那片海呢？如今文豪早已远去，只留下那片他曾经无数次注视着的海。我想，如果有幸能够漫步在海边，是否能体会到海明威当年的感受呢？

——风唤雀翎

享受那美好时光

下了旅游车，我们全家直奔水族馆，只有几十步的距离。在水族馆门口，我告诉售票兼检票的小姐，我们是临时决定来这里的，没有正式的票。

她说："没关系，你们住在哪个房间？"

"R7 号。"

"OK，你们进去吧，享受你的美好时光。"她居然没有看我们的证件。

去过许多大水族馆，我对这个水族馆并没抱什么大希望。一看，果然如此，就一个主要展厅，还有几个小去处。哪想到，孩子们一进去就喜欢得不要命，前后待了两个多钟头。

进门后的第一个大池子，养了许多种海物，可以任人抚摸。有海螺，有寄生蟹，有黑乎乎的一条，好像是海参，还有许多种贝类，翻开一个一看，是空壳子，还没有来得及失望，一只寄生蟹伸出头来，舞爪是肯定了，没看清楚是否张牙。还有一种像蟹子模样的，英文名字叫 Horseshoecrab（马蹄铁蟹），据说有几亿年的历史了。一翻壳，它就十爪朝天，蹬个不停。

我看那些海葵、珊瑚虫，边看边照相。每一次看到它们，我都迷得不得了，它们似花，非花；如草，非草；看似一律，实则万千——万千的色彩，万千的形状，万千的舞姿，在水中不断地动，如微风，如细雨，如薄雾，如轻烟，如美梦。

是谁在大海深处，画出如此绝妙的美景？

人如果失去了惊异，是可喜，还是可悲？

和孩子一起到室外的水池中看龟，看大鲨鱼。栏杆上有一个小匣子，装着鱼食，投入 25 美分，就会流出一小把鱼食。一个父亲领着一个孩子过来，他给了孩子一个硬币，小孩子就用它弄出一把鱼食。然后，一把扔进了池子里，一大群鱼立即翻滚，抢吃的。

我喊女儿过来，让她喂鱼。她来了，我掏兜，却找不出一个硬币，她也是。这时，那位已经走到了拐角的父亲又走回来，他从兜里掏出一个硬币递到我手里："给你女儿吧。"我女儿感激地看着他，说："非常感谢。"

她舍不得把鱼食一下子全扔进去，就几粒几粒地往下扔，鱼儿仍在翻滚，不过只有数条。

11 点半，水族馆工作人员过来，给大家讲解各种鱼类的知识。我注意到他的时候，他正拿着一个大网，从水中捞小鲨鱼，一下又一下，他终于捞上来了一条两尺来长的小鲨鱼。小鲨鱼挣扎了几下，还是被他掐在了手中。他拿着它，让水池两边的人都摸摸，大人摸，小孩子更摸。有时候，小鲨鱼被摸烦了，使劲地摇动尾巴。我凑上前，也摸了一把，有一点儿粘，但我没特别在意，我的眼睛紧紧盯着小鲨鱼的嘴，它那两只白牙，赤裸裸地露在外面，没想到，吃人的利器，竟如此雪白。

他最后怎么一再地讲保护大海，保护环境，我都没有注意听了。我心中老在琢磨鲨鱼的那两只大白牙。走到水池边，我仔细看水中的鲨鱼，它们慢慢地游，都有点悠闲了，但嘴一律紧闭着。看来，杀人的凶器，并非随时都露在明处。

2007 年 7 月 31 日

【网友评论】

人若总能保持一颗童心，该是多么幸福啊！

——howd

这些爱心和善意也许更多的出现在富人的生活中，穷人中有没有？

——王的说

真希望回到童年，回到那个看什么都新鲜，做什么都开心的年纪。

——风唤雀翎

"Right is right！"（向右才是正确的）

8 月 1 日下午 1 点，游轮又一次靠岸，这时我们已经到了外国——墨西哥。

船靠在岛的顶端，是小岛还是半岛？不知道。只记住了那个城市的名字，卡里卡（Calica），据说是一个非常著名的旅游城市，网上都有介绍。但我们根本就没有进城去，我们去了两处海滩，名字，还是不知道。

我们参加的这个团有四个节目：划艇、潜水看鱼、丛林漫步、吃墨西哥自助餐（啤酒，敞开喝，免费）。

下船后，导游已经等在那里了，墨西哥人，帅哥，阳光。开来了两辆面包车，我们坐进去之后，他几次问，冷气够吧？看来，美国人太娇气了，举世皆知。"很凉快，很凉快。"大家一致说。

车开了四五里，上了土路，两边都是丛林，树不高，但密密麻麻的，人走不进去。在土路上开了两三里后，面包车停了，导游说，要换乘吉普车。不知道他为什么管它叫吉普车，其实就是一个大敞篷车，车厢上固定了四条长凳，木头的，人面对面地坐着。

前面的路，只能容一辆车过，坑坑洼洼的，车走起来忽左忽右，我的屁股一会儿起来了，一会儿又安定了。看四周，不尽的绿色，树挤着树，空闲处，长着草，也是绿的。一条绿色的大蜥蜴突然穿过土路，窜到更浓更密的绿色中。

到了，一片无际的大海出现在眼前，近处是淡蓝色，好像被奶水刚刚调理过，柔和得发轻发软，还有一种说不出的缥缈，或者说飘逸。远处，海水深蓝，接着明亮的蓝天。蓝天，蓝得明净、辽阔。人，被三面不同的蓝色环绕着，身后是绿色的植物海洋。

导游示范我们如何划独木双人艇，两人一组。他问，有谁以前划过？三十多人中，只举起了四五只手。没关系，非常简单。只记住一条，这不是比赛，你只要尽情地划就好。

我穿好了救生衣，和女儿一起上了划艇，女儿在前面，我在后面。划艇下水了，我多少有点紧张，手也有点僵硬。女儿说："爸爸，太好玩了，是吧？"

"是，真有趣。"

"爸，你听我指挥。我喊 Right（右），你就 Right；我喊 Left（左），你就 Left，明白吗？"

我说："明白，我的臭女儿。"

女儿说："嗯，臭老爸。"

乳蓝色的大海，微波荡漾，洁白的浪花，连着如花的白云。这一朵白花儿刚刚开放，立即随了流水，清澈地流淌，水儿又捧出了新的浪花。红日、暖风，海之深，天之阔，这一切都令我陶醉。但令我最陶醉的，是我一再听到那最悦耳的童音，那是我女儿的声音："Right！""Left！""Right！""Left！"

女儿与父亲的喊声，合为一体，在碧波上飘荡。

离开岸边越来越远了，前面是无际的海水，后面海水茫茫，但我的心却不知道从什么时候开始非常放松了，只是喜悦地跟着女儿喊："Right！""Left！"

我们落在最后面了，女儿叫我使劲。我竭尽全力，喊："加油！加油！"

该调转船头了："Right！ Right！"

"Right is right！（向右才是正确的！）"这句话是谁说的？我？不可能。

我们的划艇向右转，转过头来，陆地就越来越近了。

2007 年 8 月 1 日

【网友评论】

让我们荡起双桨，小船儿推开波浪。

——howd

说到划船，估计我比起范老师来应该强一点点。不过划船看着简单，其实也很不简单，不但是个技术活儿，还是个体力活儿，最可怕的是船桨能把手磨出泡来……

——风唤崔翎

海狮、鹿群和我

好像是开了一段的 101 国道，又换上了 17 号公路，到底身在何处，我也没怎么在意，只知道这是旧金山的湾区。路边，过了人家，就是山地，一片葱绿，几处红花。目的地在哪里？我也不知道，也没有问，我相信开车的甘姐，她会带我到要去的地方。

一年前，甘桂翘大姐就邀请我参加这次秋令营，说是斯坦福、伯克利和几所大学的同学都会来。甘姐是这次营会的主持人，她主持这个营会多年了，对营会的住址很熟悉，我不必看路。不用操心的事，操心也无济于事的事，何必操心。我只是尽情地享受路边的景色，还有和甘姐的谈话。

我们错过了到营地的入口处。甘姐说，我们来得太早了，中文路标还没有贴出来。我们继续向前开吧，我带你去看海狮。

十几分钟后，开到了 Santa Cruz（山塔）镇，一个旅游名城。甘姐带我走上了一座栈桥，桥伸向海中，挺长的。右侧，多是小店，卖吃的，卖小礼品。左侧空旷，有些人摔出鱼线垂钓，有些人依着栏杆看海。海滩边有一个大游乐场，水边，许多大人小孩玩水玩沙。虽然天蓝蓝、水蓝蓝，但我还是觉得有点乏味。

问甘姐看什么，甘姐说看海狮，还说，怎么走这么远还没有看到呢？这话音刚落，就听到一种雄厚的声音："嗷！嗷！"

啊，海狮。一头，两头，三头……整整五头，它们躺在栈桥的横梁上，距水面不过一米左右。一头跳进了水里，另一只从水里往上跳，一下没有跳上来，它就又一下、再一下地往上跳。

我们继续往前走，栈桥中间出现天井，往中间看，四处都是海狮，下一个

夏

天井，依然是这样。栈桥尽头，一只海狮尽情地游水，远处，一点点白帆。看了十来分钟，不得不往回走，走了一百来米，突然看到一群海狮在水中戏耍，你碰我，我撞你，头钻进水中，但尾巴又拍起水花。

眼前，一只海鸥站在栏杆的尽头，单脚独立。

还有更多的海狮，在栈桥下面。一个告示牌写着，请不要喂海狮食物。没有看到一个人往水里扔食物。

返回 17 号公路不久，进入山区。后来才知道，这山区叫 Scotts Valley。山路不宽，略微有点陡，多急弯，上有高树遮住了蓝天，下有高树遮住了视线。视线内的苍松，几抱粗的一棵又一棵，有的干脆就两三棵连在了一起，树皮上长满了一块块厚厚的青苔。

到了营地的入口我才知道，这是救世军的一个营地，名字叫 Redwood Glen Camp & Conference Center。甘姐送我到了我的房间，302 室，在最高层。室内很简单，但干干净净。我的隔壁是洪予健牧师，他 1982 年毕业于复旦大学，1991 年获得了美国宾西法尼亚大学物理化学博士，接着，赴加拿大做博士后，这期间他信了耶稣基督。后来，他又读了基督教研究的硕士学位，成为牧师。住在营地期间，我和他聊了几次，很开心。可惜他给大家讲的"天朝心态与上帝主权"这个专题时，我没有机会听。

放下行李后，我就到营地内走走，见四周绿意盎然，大树参天。天上，蓝得纯净，如无人的大海，有几条白云如悠悠的海浪。

几乎没有什么平地，上坡，下坡。略微平坦处，就建起一两座房子，房子大都挺旧的。在一所旧房子前，一只火鸡也像我一样，闲溜达。溜达一会儿后，它要进屋子里，但房门紧闭。

看它停下来了，我就继续向前走，走到一片荒草地前，草已经枯干，地面上，有一些小洞。谁的家？正想着，远处，一只小地鼠从洞里爬出来，立起了脚向四处看，看到了我，脑袋不动了。我急于靠近一点给它一个特写镜头，哪知道，我的脚才动了一步，它就动了一串的碎步，跑到草丛中。我只好照下它的洞。

吃晚饭时，一眼就看到了陈老师，大喜。上次我们是在德国分别的，一晃

3年。陈庆真老师曾经是波士顿大学的物理学教授，但多年来一直热心传福音，我知道，在哈佛大学、麻省理工学院读书的一些中国留学生，正是受到她人格的影响和她的教诲，信了耶稣。我告诉她，她写的《世界观的交锋》一书，被有的书评家评为当代华人写的关于基督教人生观的好书，不可错过。陈老师说，她一点也不知道。

饭后走回宿舍。走到宿舍前，我惊住了，五六只鹿儿出现在眼前，不过二十来米。大鹿头上长着角，小鹿紧紧地靠着母亲。一只卧在地上，一只站着远望。看到我来了，它们都竖起了耳朵，带着疑惑的目光盯着我，我则带着满腔的喜悦注视着它们，望了四五分钟，它们放松了，慢慢地散步，我则拿出相机，照下一张张照片。

背景，绿树成林，脚下，草儿黄了，夕阳斜照在鹿儿米黄色的身上。雄鹿看我走近了几步，但毫不在意，目光略过了我，看着远方。我知道，我背后的远方是树，树连着天。小鹿有点紧张，靠母鹿更紧。母鹿用嘴蹭了两下小鹿，抬头，盯住了我。盯了一会儿，看我不动，就用头碰了一下小鹿，小鹿把头伸到母鹿的肚子底下，扭了一下，嘴唇凑到了母腹上，吃奶。

这一幕，要是到永远，有多好啊。

2007 年 8 月 4 日于芝加哥

【网友评论】

天然和谐的美景，平静温和的心态，便是活在人间天堂。作为散文，甘姐的出现太突兀，没有交代，后来也没有再出现，在文章中作用不显着，算个写作上的失误。

——超级火炮

转一句话放范兄这里：人与自然的和谐只有在人与人的和谐得以实现的前提下才有可能。

——连晨

我们这儿除了在动物园的笼子里，其他地方基本看不到野生动物的了，不是被灭了就是被吃了。

——天国之扉

只要人不被关进笼子里就好。

——范学德

刚从南戴河回来，没下水，在标志着游泳区的水域中看到了漂浮的破木片和塑料袋。赤脚在沙滩上走要小心，有半埋着的马粪，像地雷一样。稍远一点靠近路边的沙滩上有无数的烟头、纸屑、塑料袋，甚至还有啤酒瓶的碎片。吃海鲜时没像别人一样喝白酒、吃大蒜，结果是闹肚子。回京路上高速路整修，堵车。就这样，秋游结束，比老范的秋游差多了。

——晓小猫

晒人肉的痛苦

我上旅游船那天就看到了有人在晒太阳，浑身上下都抹了防晒油，往那蓝色的大号躺椅上一躺，晒！一会儿背对太阳，一会儿翻身，让太阳照在肚皮上。大肚皮、小肚皮，上面都闪着亮光。在这里，瘦人和胖人都不在乎了，火热的阳光对所有的人一律平等。

晒太阳的地方主要在游轮后面的甲板上，面对着游泳池，紧贴着餐厅。有的人到餐厅拿盘食物，一边吃盘中肉，一边晒身上肉。最多的时候，我看到有将近两三百人同时在晒，那场景可真是颇为状观。我想了想，还是没把它收入摄像镜头，怕人看了肉麻。

8月2日那天上午，我不得已也加入了晒肉大军。事情原来是这样，头一天和孩子划双人艇，劲用大了不说，还没有用对地方，当天晚上后脊椎骨那一团肉就疼得要命，弯腰脱裤子都要咬牙。

于是，第二天上午，我决定到游泳池边的日式温泉泡泡，让后面的肌肉放松一下，泡了一阵子之后，感觉好受了一点。但老这么穷泡也受不了，不得已，我到附近找了条躺椅，就那么两脚朝天地躺下去了，等到觉得肚皮热了，翻身，趴着晒。后面也热了，回到水中，继续泡。就这样，泡，晒，再泡，再晒，一直到下午三四点钟，晒得后背很轻松，心里很得意。

怎么也没想到，当天晚上问题就来了，身上火辣辣的疼。照镜子一看，妈呀！浑身通红通红的，活像一支刚出炉的烤乳猪，只是这层皮，老而且厚。

这火一样的强烈感觉一直在持续，甚至压住了后背疼的感觉，今天中午发现，鼻子已经开始脱皮了，一挠，就能挠下一块皮来，虽说挠下来的皮不大，但毕竟是人皮啊。

2007年8月5日

【网友评论】

这就是爱的代价。

——howd

开始还以为范老师在教育我们，晒太阳能够缓解肌肉疲劳。后来才知道他老人家实在用实际行动告诉我们，晒太阳之前一定要抹好防晒霜。

——风唤雀翎

受这么大的罪只是为了把皮肤晒黑吗？——这才算是贵族。

——王的说

墨西哥自助餐，啤酒随便

今天一上这趟旅游车，墨西哥导游就宣告，今天下午最后的一个节目是吃墨西哥自助餐，啤酒随便，然后问大家："谁想喝啤酒？请举手。"大家哈哈大笑，举起了一双双手，自然，我的手也在其中。

等到大家都从丛林中走出来，导游就让我们上吉普车，载我们到饭店去。开了十来分钟，到了，看看四周，没有任何一个大厦，只有一个大草棚，靠在海边，大草棚的两边挂了一个个秋千，麻绳，木板，另外两边摆满了饭菜。还有十来个小草棚，对着大海，每个小草棚旁边都有三四把椅子。

前面，碧蓝的大海；后面，葱绿的丛林；脚下，细沙白如雪。

我陶醉了。

大草棚两边的柜台上，放了十几种水果和饭菜，大家排成一行，随便挑自己喜欢的饭菜。我最喜欢的是当地的木瓜和小碎块西红柿拌青椒，最普通的蔬菜，但不知道他们怎么就把味道弄得那么鲜美，还火辣辣的。我吃了一盘，再添一盘。

一盘菜拿到手中，我坐到了秋千上，开吃。晃了几下后，对服务员说："给我一杯啤酒。"好啦，一杯啤酒在手，喝。痛快！干了，喊："再来一杯。"

两杯啤酒下肚，情趣大发，离开秋千，我走进了眼前的大海，让海水一遍遍拍击我的双腿。而双眼，则一直望着远方。前方，无尽的蔚蓝色，纯净、悠远。

这一阵激情过去，我顺着海边走，看石头。这里看来是处女地，没有被人破坏过，所以，漂亮的石头，到处可见，或在海水里，或在白沙上。我最喜欢的一种石头是化石，由海上某种小虫子凝结而成，那些小石头上凸起了一条条如项链般的曲线，宛如掌上的万里长城，蜿蜒起伏，绵绵不断。

深深感谢导游，和他一起合影，并付给一笔很大的小费，他一再谢谢。他对大家说话总是以"我的朋友"开始，对于我，他也称"我的朋友"。

抓紧时间照相。导游给一位黑人妇女推销墨西哥酒，说了一会儿，一瓶出手。导游又给另外一个小伙子介绍，那小伙子是和全家一起来度假的，他在秋千上晃了一会儿后，一下子买了三瓶。饭店老板很开心，立即打开一瓶酒，倒了四五小杯，让他们尝尝。小伙子和他的女朋友尝了两口，大叫："非常好！非常好！"他要给我尝尝，我说："谢谢，我闻到酒香就足够幸福了。"

离开海滩前，我跟导游要了三块小石头，这三块石头，现在就摆在我的书桌上。

2007 年 8 月 6 日

【网友评论】

老范的旅游真是一种享受，人与人之间都是恭敬有礼的。要是在国内，别说是朋友，导游和游客没变成敌人就不错了。

——howd

做导游还有人给小费呢！？好吧，我承认自己孤陋寡闻了。

——风唤雀翎

忽然想念那首诗：面朝大海，春暖花开……（后面的内容都忘了），但是想必这样的大海再加上一些现代化的商业气息，会让人趋之若鹜。如果海子还活着，不知道他会不会去这样的海边喝啤酒？

——王的说

月夜思

七八月的加勒比海，风是暖的，还有一点点的潮湿。那天晚上站在甲板上，已经是夜里十点多了。天是黑的，海水也是黑的，只有月亮如水，还有半天的星星闪耀。看着天，看着海，看着月，看着看着，一种说不出来的孤寂突然抓住了我的心。转眼间，它就把我的心掏得干干净净。

又想起了帕斯卡尔那句名言：这永恒沉寂的宇宙令我的心灵颤栗！

只要跨出一步，就消失得无影无踪；即使活到百岁，也依然要从这个世界上消失。前不见古人，后不见来者，人算什么？我又算什么？

似乎是阿基米德的名言：给我一个支点，我就可以撬起地球。人生，真有这么一个支点吗？它是什么？在哪里？是我的人品、学位、名声、家庭、事业？不是，一样也不是。这些身外之物，没有一样生能带来死能带去，全是虚空。

被爱，被给予，被接纳，被饶恕，被引领，这一切都是被动的，但正是这被动给了我人生的唯一主动——把自己交到上帝手中。他的爱，他爱我，这就是我人生的唯一支点。有了这个支点，就有了一切；没有这个支点，一切都化为虚无。

"主耶稣基督，求你怜悯我。"我不住地祷告。

远方，出现了一团金光，仿佛一个皇冠，美不可言。应该是另外一艘巨轮。注视着它，虽然看得不很清楚，但那皇冠，一直在前方闪光。

我的心要注视什么呢？是黑夜，还是黑夜中的光？

2007 年 8 月 6 日

【网友评论】

在漆黑的黑夜里，老范找到了属于自己的光明！

——howd

是啊，从呱呱坠地到撒手人寰，每个人都是这个世界上的过客。来的时候两手空空，走的时候还是身无长物，就算你把夜明珠塞嘴里又怎样，最后珠子还是那个珠子，人早已经变成废料了……

——风唤雀翎

一个悲哀的父亲在公园里指着那些热闹拥挤的人群对儿子说，五十年之后，这些人还活着的不多……人生短短几个秋，也许只有信仰才能解救困惑的人们，像黑夜中的光，使人不那么窒息和迷惘。

——王的说

一湾清泉

看着划艇都到岸了，墨西哥导游又带大家潜游看鱼，我没有去，一个人在海边散步。一来到这海边，我就迷上了后面那一片漫漫的丛林。走了一阵子，看到一个身穿军装的人走过来，我感觉很奇怪，大热的天，他竟然穿了严严实实的军装，有点像迷彩服。怪人。

这个人走进了丛林不久，又有两个人过来了，都身穿军装，还背着枪。突然，我明白了，这几个人是墨西哥军人，他们正在进行边防检查。伴着他们的，还有两条狗。一会儿忽前，一会儿忽后，最后，随着一声哨声，两条狗跟着两个军人也消失丛林中。

脚下，海草在碧水中飘来飘去，彩色的小鱼在海草之间转来转去。

潜游看鱼结束了。导游带我们走进了丛林。这时我才发现，从林里的小路很长，弯弯曲曲的，被一团团的椰树叶和芭蕉叶隔断，看不到路通向哪里。

小路一开始都是沙子，沙子很细，略微有点热，走上去很舒服。我跟在导游后，光着脚板走，走了一段路后，土与石头多了，还有一些碎木头，我不得不穿上了鞋。看导游依旧光脚板，问："你不用穿鞋？"他笑着说："不用。"他不仅不用穿鞋，连上衣都不用穿，就那么一个晒得又黑又亮的腰板，光光的，挺得笔直。

茫茫绿色中，突然出现了两朵红花，极美，我不由得弯了一下树枝，细看红花。导游就笑着说："我的朋友，丛林中的花可不能乱摸、乱闻，有的可能有毒。"我不好意思了，忙说对不起，又说谢谢。

走了二十来分钟，我们来到了一个小水池前，一湾池水，碧蓝，水深处或墨绿一团，或明亮的一片，几只彩色的鱼，漫游其中。水池边立着一块牌子：禁止跳水。导游走过去，把牌子翻过去，放下，然后笑对我说，这是墨西哥，不是美国。

看到大家都来了，他站在水边的岩石上，扑通一声，突然跳入水中。游了五六米之后，站起来，对大家招手，喊："跳！跳！"

"扑通！""扑通！"

一条条身影，一点点水花。

他说，这里是玛雅人的水源。

我惊奇，这里离海边这么近，竟然有如此清澈的淡水。

回去的路上，我落在了后面，两个墨西哥本地人，还在我的后面，负责压阵。我抓紧照相。一对情侣过来，女孩撒娇，不走了，男孩蹲下，背起女友，我赶紧给他们照相。可惜男孩体力不足，走了十来米就喘了，再蹲下，女孩下来，给男友一个吻。

路过两棵树，一棵路左，一棵路右，导游刚才说过，这两株树，一株是雌性，一株是雄性。他还说，就像中国人讲的，一个是阴，一个是阳。我仔细看了一会儿，还是弄不懂，何谓阴，何谓阳？

2007 年 8 月 6 日

【网友评论】

女人三大恨：一恨鲫鱼多刺，二恨海棠无香，三恨老公体弱背不动我！

——howd

其实出事之前我们就在水边立了牌子，警告过往游客不要在水潭中跳水了。虽然牌子被人遮住了，但是我们已经尽到了警告的责任，所以这事儿我们不应该承担责任……

——风唤雀翎

初中时跟人讨论海边的沙子，不会硌人吗？我一直皱着眉头质疑。怎么会呢？那么大粒的沙子。我把沙子想象成了沙石。直到后来才明白。

——王的说

一个公民的生日庆典

结束主日崇拜前，会议主席宣布，今天楼下有生日蛋糕，庆祝左大安母亲的七十大寿。左大安是我们教会的会友，我们多年的朋友。大家陆续到了地下室，牧师祷告后，大安母亲亲手切生日蛋糕，大家一同唱"祝你生日快乐……"。蛋糕一人一块，小孩子高兴得急忙先吃那个最甜的部分。我吃了两口，一个朋友告诉我，这个蛋糕是左妈妈的女儿亲手做的，她女儿是烹调专家。我又细品了一小口，果然味道不同，很松软，但又不像美国蛋糕那么甜。

午餐后，在牧师楼的大教室里，教会举行了"左蒋云、华姊妹七秩感恩见证会"。30人出席，牧师和师母都来了。会场布置得很简单，就一个大横幅，还有一个大"福"字，小由姐妹又送来一个彩色标语，生日快乐，是英文的。我看了一下彩色的节目单，首页上的背景图片是十字架，还有夕阳，或者是旭日，弄不清楚，但那十字架在彩云中，一暗一明，颇有深意。

大安一介绍我才知道，他们兄弟姐妹四人，他是老幺，上面有三个姐姐，大姐大萱在中华福音神学院任宣教部副主任，二姐大菁在洛杉矶经商，三姐大芫在华盛顿。这次都飞来芝加哥，庆祝母亲的七十大寿。

节目很简单，大安先介绍欢迎词。欢迎后，大菁唱了一首名歌《奇异恩典》。大菁说，这是我母亲最爱唱的一首歌。母亲自认为自己歌唱得不好，但她很喜欢唱，于是，在做家事的时候，她就一边做一边唱，她说，她唱给神听。

接下来，主角出场，左伯母讲话。她谢谢儿女忙了好几天，她还说感谢儿媳妇，这么多年来，我一直把她当成自己最小的女儿。左伯母说，儿子问我要什么礼物，我说，我什么也不要，我就是要在众人面前感谢神。

1937年农历七月初三，左伯母生于江苏溧阳。那时，她母亲才18岁。生下她40天后，就把她送到了住在乡下的祖父祖母家，到了奶奶家不久，她又被送到了奶妈家，一直到四五岁，都没有看到过远在上海的父母。但好在奶妈家有好几个孩子，玩起来也快活。可好景不长，5岁时，大爷怕她在奶妈家待久了就再也领不回来了，于是，硬把她带回了奶奶家。到了奶奶家，她却不快活，一次，天蒙蒙亮，她偷偷地跑到奶妈家，但被大爷发现了，抓回来了痛打一顿，从此，孤独就天天伴随着她的童年。

抗战胜利后第二年，左伯母被接到了上海，她第一次看到了自己的生身父母。她觉得，自己的好日子就要来了，没想到，他父亲那时已经有了小老婆，生母被冷落。而她这个丑小鸭又被生母所冷落，她母亲一次对朋友说："这孩子好像不是我生的。"这话，正好被她听到，别提有多伤心。不巧，她又生了一头虱子，母亲干脆就给她剃了个光头，又让她穿男孩子的衣服，以至于别人常当着她的面问她母亲："这是你儿子？"

1949 年，左伯母随父母去了台北。一个似乎很偶然的机会，左伯母接触到教会。她们家对面的巷子有一个教堂，"厦门浸信会"。有一次，她母亲病得奄奄一息了也没有人理，于是母亲就让女儿到教会找个人来看看她。左伯母就去了，不到 20 分钟，一对美国夫妇就来探访她们家。

不久后，教会举行布道会，左伯母去了。主讲的基督徒问："在我们当中有哪一个人愿意在半年之中信耶稣的，请举手！"哦，半年之内，好，左伯母就举手了。

左伯母说，那时候我连什么是认罪悔改、什么是耶稣基督都不很清楚，但我愿意信，就举手了。

我暗自庆幸，左伯母可以找到教会，可以自由地去信仰，这信仰给了她新的生命。

左伯母说，从那以后，我就去教会参加主日学。目的说起来都不好意思，就是为了得到奖品，参加一次就会得到一张圣诞卡片，美国出的那些圣诞卡好漂亮吆。

没想到，在学习的过程中，她渐渐地知道了基督教信仰的真谛，后来就真信了。接下来就是工作，结婚，生孩子。最小的儿子大安七八岁的时候，丈夫得了糖尿病，这一病就是二十来年。左伯母说，那些年，我真是呼天唤地地向神祈求，主啊，求你帮助我。

有时候，家中的钱用光了，孩子又得上学，怎么办？左伯母只能祈祷。女儿考大学前病了，不到一个月，开刀两次，还对她说："妈妈，我这次可能会夭折啊，怎么办？"左伯母只能祈祷，左伯母祈祷后告诉女儿，孩子，相信上帝，你是属于上帝的，上帝不让你走，你就不会走。

故事讲到这里，左伯母又一次流泪。她说，那时，我自己从头到脚也是病一个接着一个。我上班的地方又在十六楼，没有主，我真是过不下去了。站在窗台前，往前跨出一步，人就能掉下去了。我就跟上帝祷告："阿爸，父啊，你看看，我就是这样一个人，什么能力也没有，这么重的担子，我怎么能担当起来？求你担当我的重担。感谢主啊，他担当了我的重担，一路带领我走下来。"

左伯母又讲了几个故事后说："我没有什么能耐，我就是祷告，我就是抓住上帝不放。我的神在前面引领我，我活着就是要荣耀我的神。"讲到这些往事时，左伯母一直很激动。一直到她祷告时，她仍然很激动，一再说，"阿爸"、"父啊"、"我的主"。

左伯母说，今天节目单的最后一页，印着《圣经》上的几句话，那就是我人生的写照。我看了一下，那些话出自《哥林多前书》第一章："弟兄们哪，可见你们蒙召的，按着肉体有智慧的不多，有能力的不多，有尊贵的也不多。神却拣选了世上愚拙的，叫有智慧的羞愧；又拣选了世上软弱的，叫那强壮的羞愧。神也拣选了世上卑贱的，被人厌恶的，以及那无有的，为要废掉那有的，使一切有血气的，在神面前一个也不能自夸。但你们得在基督耶稣里是本乎神，神又使他成为我们的智慧、公义、圣洁、救赎。如经上所记：'夸口的，当指着主夸口'。"

左伯母讲过后，她的 5 个小孙子和外孙一个个都上来了，一个人捧了一束鲜花，献给奶奶，然后，一个个地拥抱奶奶，亲奶奶。有个小家伙献完花后就往地上一躺，大家大笑。记得在祝寿前，这小家伙就在屋子里走来走去，一边走，一边弯着手指头指着自己的胸口说："我是个小赖皮，哈哈，我是个小赖皮。"

左伯母的大女儿大萱走上前来，她说的第一句话就是："我的母亲是一个敬虔的母亲，她每天醒来的第一件事就是祷告。在她的书桌里，一直放着两本书：《圣经》和《荒漠甘泉》。小时候，我们有病了，母亲问我们的第一句话总是，最近做了什么坏事了，犯什么罪啦？总是帮助我们在上帝面前不断地认罪悔改。母亲给我们买了新衣服，新鞋后，第一次穿上的时间总是选在礼拜天。母亲要我们把最好的献给神。就是压岁钱，我们也要奉献出十分之一。

"周末，睡过午觉后，母亲总是跪在客厅祷告，一祷告就是一个小时。这么多年来，不论我们在哪里，到多远的地方去，我们都知道，后方一定有母亲在为我们祷告。"

前面听左伯母讲，左伯父一得病，孩子们就都来帮助爸爸。每年的新日历一来，小女儿就把全年的每一天都排下来，今天你帮助爸爸干什么，明天你帮助爸爸干什么。大萱也说到了这件事，她说："那么多年，照顾爸爸虽然很辛苦，但我们却不觉得是一个重担，不觉得是一个痛苦，因为爸爸还在，我们还可以照顾他。妈妈是家中的台柱子，她用祷告一直托住了我们，我的母亲是一个祷告的人。"

大萱说的时候，几次落泪，左伯母也几次用纸巾擦泪水。

大菁接着姐姐讲。她一开口就说，母亲是一个为了家人牺牲了自己的人。说完，她就哭了，安静一会儿，她接着说："母亲没有自己的嗜好，没想过自己的好处，没把一分钱花在自己身上去享受，她把自己的全部精力和才华都放在家里。我上高中时就打工，当时，班里没有别的同学打工，但我不遗憾，因为有母亲的榜样在前面。今天，我就是要对母亲说，感谢你，妈妈。我要趁着母亲还在的时候，当着她的面把这心里话说出来，妈妈，感谢你。"

左伯母的三女儿大芫没讲几句话。自从开会以来，她就一直在旁边忙活，做珍珠奶茶，做好了，一杯又一杯地递给每一个人。后来，又送给每一个与会的人一个礼品袋，袋子里装着一包小寿桃，一包虾饺，还有很大一块蛋糕，这都是她在家里事先做好的。

大安是笑着上来讲话的。他说，别看我在家里是小儿子，家中唯一的男孩，但妈妈对我和姐姐们一视同仁。最重、最累、最脏的活都叫我做。她最爱我的方法就是最严格地要求我，还有一条就是教我们省钱，她经常说一句话，钱，能不用的，就不用。但是，当我们读完大学，要出国的时候，母亲却说，孩子，我就是把房子卖了，也得让你们读书，出国。

大安讲完后说："在结束聚会前请牧师……"左伯母打断了儿子的话，大声地问："Doris 呢？"Doris 是大安妻子的英文名字，她正在另外一个房间照看那群小孩子。大安说："媳妇还要讲？"左伯母："她是我的小女儿啊。"大安赶快到隔壁把妻子 Doris 换出来。Doris 只说了几句话，但分量却很重，一句话说："妈妈从来没有把我当成是外人。"另外一句话说："遇到难事时，我总是让妈妈为我祷告，妈妈也一直为我祷告。"

牧师祷告后，小由上前来给左伯母唱了一首《祝你生日快乐》，用的是黄梅戏的调。左伯母说，你怎么知道我最喜欢黄梅戏啊。好，一，二，"祝你生日快乐，祝你生日快乐"，大家都了唱起来，至于是不是黄梅调，谁在乎啊。

2007 年 8 月 13 日凌晨 1 点半

【网友评论】

耶稣担当了我的重担，一路领我走下来。

——猫爪轻扬

主帖写得太收敛，没煽情，这可能是没热的一个原因。

——猎人在家

这个农场主真有个性

我现在手头上没有日历，上个星期六是几号？不管它了，那天早上起来我就上电脑查天气预报，说是今天有小雨。但看看外面的天，还不错，就是有点阴，讨论了几句后大家决定还是去到农场摘菜，打电话给李丹，她说他们家也去。但她们要先参加一个聚会，我儿子正好是 12 点多学钢琴，于是约定两点钟去。

几个星期前就想去了，但农场说，还没有到向大家开放自己来摘菜的日子。几天前才开放。

还没到两点，他们家来了，我们走。开了两辆车，各自装了四口，大人，小孩，各占一半。

农场离我们家不远，开车还不到 20 分钟，儿子去年来过一次，就充当地图了。我错过了入口，绕了一下，才找到，原来，就在农场商场的另一边。

天已经下雨了，但不太大。农场管理人员来了，先抱歉地说，今年采取了新的管理系统，所以，得从这面走。我把驾驶执照给她，她递给我们一张表，问我们要摘什么菜？我们说，西红柿和青豆。又问，你们有筐吗？没有。于是，买了两个农场特制的筐，一个大号的，一个中号的。好家伙，那个大号的，至少能装 30 斤西红柿。一个筐 4 美金。但她说，你们可以留着，明年来继续用。

我们开车往里走，土路，还有汽车压出来的浅沟，开起来颠得不轻。

好大的一片地，至少有几百亩。我就怪了，种菜赚不了多少钱，可这块地是宝地啊，靠它附近，就有我们这个州最好的高中之一。他们怎么不把地卖给房地产开发商，捞一大笔钱，几辈子都用不完。但他们就是不卖，估计房地产开发商只能眼睛发蓝，因为土地的所有权属于农场主，从 1912 年起他们就一直在这里种菜。美国人就是有个性。

地中间留了一些车道，把车停好后，就下车开摘。两边都是西红柿，西红柿结得太多了，把秧子都压弯了，烂在地里的西红柿满地都是。好心疼，我摘了十几个有疤瘌但已经熟透了的柿子，放到大塑料袋里。后来回家的时候，把它们打成了纯正的西红柿汁。

离开车道十来米，是一条条的樱桃、西红柿垄，鲜红，翠绿，金黄，仿佛一个个玛瑙，挂在枝子上，一串串的。摘下一个，在衣服上擦了一下，塞到嘴里，甜死了，纯正的西红柿味道，自然成熟。一口气吃了五六个。儿子后来告诉我，他吃了二十来个，直到吃不下去了。

孩子们高兴得不要命，一边摘，一边喊，这里有！这里有！要他们打伞，"No！ Who cares"。（不，谁在乎啊！）

天下着毛毛雨。地很黏，一会儿，两只鞋就成了泥鞋，告诉他们小心。他们又是喊："谁在乎啊！"

摘了半个小时，小雨停了，我去摘青豆。丽丽说，范叔，我跟你一起去。这时我才注意到，这片巨大的菜地，就在居民区旁边，紧紧地靠着一条水泥路的车道，但四周，一道栏杆也没有。

不怕偷？还是没有人来偷？

丽丽一开始摘的时候，"哇"、"哇"不断惊叫。过了十来分钟，不叫了，说："范叔叔，我要去跟我妈摘青椒了。"

我问："为什么不继续摘青豆了？"

她说："这里不好玩了（No fun）。"

我儿子更绝，到居民区的游乐场上荡秋千了，老远就能听得到"吱呀"、"吱呀"的秋千声。

这美国孩儿们，干什么事，首先问有趣没趣。

"Fun"还是"No fun"，这是个问题。

大筐小框都装满了，开车，到入口处交款。一共花了三十多美金，放行。我们在车上还是一路高兴，一个劲地讲，太好吃了。

哈哈，好吃，中国人的第一标准。

2007 年 8 月 25 日清晨 7：30

【网友评论】

"玫瑰开花的时间太短了。"

——范学德

开发商没有办法，可"别人"有办法啊。

——延边爱情

紧张刺激的空中飞行

芝加哥时间 24 号清早，还不到 6 点我就起床了，上电脑检查一下电子邮件后，收拾行李，准备出门。出租汽车 6 点 50 分开到了我们家门口，不堵车的话，从我们家开到机场需要半个小时，车费 40 美金。两个月前还是 38 美金，小费6美金，最近汽油涨价了，出租车也跟着涨了。

到了机场还不到7点30分。机场大厅门口就有快速办理托运行李的，托运一件行李要加两美金的服务费，比自己进到里面找个推行李的小车还方便，那需要3美金。

服务员问我要到哪个机场，我说是土桑。他转身到电脑，过了不到两分钟后走过来告诉我："你的航班被取消了，你需要到大厅里的柜台前办理。"我一听吓了一大跳，赶快进去，排队，等候，不到20分钟来到了柜台。

服务员告诉我，到土桑的飞机被取消了，下一趟航班是晚上7点10分。

我说："那不行，今晚7点半我就要讲道，那么，凤凰城（它离土桑有不到两小时的距离）有没有票呢？"她回答："也被取消了。"

我问："那怎么办？"

她说："我帮你找找。"

过一会儿，她找到了。但我需要换两次飞机：先飞到东部的辛辛那提，然后，再掉过头来经过芝加哥飞到达拉斯，最后，从达拉斯飞到目的地——土桑。

我一看没有别的选择，就说好。然后托运行李。

服务员说："你别担心，行李会随你转机。"

"有足够的转机时间吗？"我问。

她再看了一眼计算机，说有。

我觉得挺好笑的，终点在芝加哥的西南，但却要先飞到东边的辛辛那提。但一看机票。登机时间是9点10分，就想，还不错。

通过安全检查，进入候机大厅，下了楼梯，到14号登机口准备登机。刚坐下不到5分钟，工作人员通知，登机口改为16号。我赶紧起来上楼，好在路很近。确定在这里登机了，我赶快打电话给土桑的朋友，先说对不起，因为芝加哥与土桑有一个小时的时差，他那里才7点半。我告诉他航班变更的详细情况后，请他们为我祷告。我不能肯定我是否会准时赶到。

今天，八十多个航班被取消。原因是芝加哥昨晚刮了龙卷风，有的地方还发大水了。

说是9点10分登机，其时，一直晚点到10点15分，进入跑道前又磨蹭了十来分钟。还好，飞机终于蹭到跑道，一看，后面还跟着11架飞机等待起飞。

从芝加哥到辛辛那提需要飞行将近50分钟，飞了一大半后，我问空姐，我能赶上转机吗？她看了我的机票，说，对不起，不能了。辛辛那提当地时间已经是12点7分了。而我机票上的预定时间是11点20分到达，12点半飞往达拉斯。

主啊！怎么办？我连祷告的勇气都没有了。

飞机滑翔在辛辛那提机场时是12点25分。一点希望也没有了。飞机到机舱口停稳后，大家纷纷起来，拿行李，过道上马上站满了人。就在这时，空姐广播："其他乘客请回到座位坐好，转机到达拉斯的乘客请立即到前面来。"

马上，过道空了，我快步走到前面，在我前面还有8个人，有一人是要转机到匹斯堡，印度裔模样，空姐请他回到座位上坐好。

我们顺着梯子走下飞机，一个检票员正站在前面，大声喊，到达拉斯的请到这里来。我们都赶快来到她眼前，她用手工的方式检票，在票上撕下一角就拉倒了。有趣，第一次看到这么检票。检完票，她一挥手，"跟我来"，就带我们走到隔壁一架飞机的舷梯前，两架飞机相隔不过十几米。

我对她说："你真好像是天使。"

终于登上了飞机。

我坐在了最后一排，座位紧靠着窗户，我还是有点担心，我托运的行李也有足够的时间转过来吗？就在这时，看到一个大传送带升上来了，我的行李和其他八九件行李一件接一件地运上来。行李是侧着放上去的，没有乱摔。

不由得脱口而出，感谢主。

这架飞机晚点将近15分钟后起飞。我喘了一口气。

看书，睡觉。醒来之后发现，已经是当地时间1点35分了，飞机马上就要降落。我下一班的飞机是1点55分起飞，天哪，又赶不上了。我把票递给旁边的空姐："我有足够的时间转机吗？"

她看了一眼后说："有足够的时间。"

这怎么可能？她看我满脸的疑惑，就说："1点55是检票的时间，飞机2点25分才起飞。"

晕！太紧张了，我连票都看错了。

出口处在 C，需要到 A13 登机。想徒步走过去。走了几步，累。看一个机场工作人员开着一个小交通车（平时用来运送老人病残的），上面只有一个少年，并且，好像也是往 A 的方向开的，就问开车的小姐："我可以上来吗？"

"OK。"

我上去了，车子开了一会儿，我又吓了一大跳，从停机坪 C 到停机坪 A 有好长一段距离，一两里路！她问我："你怎么不坐机场的地铁？"

我回答："我没看见啊。"

到了停机坪 A，从一头走到了另外一头，差不多 10 分钟，到那一看，预定 2 点 25 分起飞的飞机，正在检票，问旁边一朋友，现在是检第几组的票？第四组。正是我那组。

坐到机舱里终于安心，赶快上厕所，紧急。

飞机预计到达土桑的时间是 2 点 30 分，与这里时差一个小时，正好准时。我打开手机，联系上黑妈妈，告诉她："你 2 点 40 分到机场接我。"她说，好。哪又想到，飞机 3 点 15 分才在土桑机场着陆。原因是飞机在达拉斯机场晚了将近半个小时后才起飞。还好，那时我已经睡着了，一直睡到土桑机场，不然，又得来一声声穷极呼天，祷告。

2007 年 8 月 25 日凌晨 1 点 30，外面雷声阵阵。

【网友评论】

看着是够惊险，可你还睡了两觉，哈哈，再次羡慕你入睡的本领，换了我根本睡不着。

——王小三

紧张得好像打仗，还好，老范有如天助。

——马多

"玫瑰开花的时间太短了。"

——晓小猫

第三季

秋

这些故事发生在秋天。秋天是硕果累累的季节。

民主的果实是什么？不正是个人那自由的生命吗？

迎新晚会前大块地吃肉

要不是黑格夫妇 5 点钟来接我，我同几个年轻的朋友还会就信仰问题一直聊下去。尽管我们已经侃了整整 3 个小时，其间，我还喝了一瓶矿泉水。但晚上 7 点半我要在"迎新晚会"短讲，6 点钟就得赶去，还得换一身西装。

这是土桑华人基督教会举行的"迎新晚会"，迎接到亚利桑那大学读书的华人学生，给他们介绍大学和社区的情况，结交朋友，尽力提供它们所需要的帮助，包括生活上的一些用品。他们举行这样的活动已经好多年了。其中，晚会前大吃，吃烤猪，自己烤的，这也是他们迎接新生的传统节目之一，3 年前我来他们这里时，也是烤猪，一位美国白人弟兄主烤，这次听说是咱们中国人自己烤，不过，许多人依然怀念那位美国兄弟。

人得知道感恩。

我进到教堂里一看，天哪，挤满了人，排队拿饭菜的，拐了两个大弯。我问这个教会的长老张太岩，来了多少人？他回答，二百五十来个大人小孩。旁边一兄弟插口，二百五，哈哈。太岩笑着回答，OK，二百五十一。

太岩来自中国内地，博士，信耶稣多年，现在在社区大学教数学，那个社区大学有七万多个学生，是全美国最大的十所社区大学之一。他后来跟我讲，这得感谢杜鲁门，他当年提出门户开放，不过，这个门是高等教育，高等教育的大门应当向所有的人开放，每一个公民都应该有接受高等教育的机会（大意如此）。

我先到厨房前看一眼，哇，果然是大块的猪肉，闻起来喷香喷香的。我联想到了梁山好汉，大碗地喝酒，大块地吃肉，那肉块估计就像今晚上的这么大。看人很多，再加上也不怎么饿，就说："我不吃了，到外面走走。"

没有想到，他们还是给我留了一个饭盒。晚上回去已经很晚了，本来不想吃，但架不住那个香味的诱惑，拍了三瓣蒜，加点花椒油和酱油，我就蘸着调料吃起烤猪肉。细嚼、慢咽、品味，那个美啊，甭提了。第二中午，教会的午餐还是这大块的猪肉，不过，下锅炖过，还加了土豆，这让我想起了赫鲁晓夫当年的名言，共产主义就是土豆加牛肉。要想忽悠中国人，尤其是我们东北人，就得把牛肉两个字改称为猪肉。小时候我经常梦想，要是有一天土豆炖猪肉可以随便吃，或者，随便吃猪肉白菜馅饺子，那就是进了共产主义的天堂了。

前面说了，当时我没吃肉，拿着相机出去了。我照树，照花，照路口，照房子，路口有牌子，大大的"停"字，我也拍照！土桑这个地方的天，比芝加哥的还蓝，蓝得我的心都纯净了不少，我想起了黑妈妈说的一句话，有几个来美国探亲的老人对她说，我们是来美国洗肺的。还想起了好友的一句话：失去了大地，得到了天空。

蔚蓝色的天空。

脑子里突然冒出了一句话，流放即是回家。

迎新晚会准时开始。玩游戏（Bingo）、唱歌、合唱、诗班唱，参加诗班的人都挺年轻的，正在读研究生或者大学毕业不久，来自内地与台湾的都有。然后，他们放片子介绍土桑，连卖中国菜的菜店都介绍了。通过他们的介绍我才知道，他们州的大学，UA（亚利桑那大学）的游泳队是全美最棒的，有好多正在大学里读书的大学生参加过奥运会，UA 游泳队的教练，就是美国奥林匹克游泳队的教练。

屏幕上打出通知，下个星期六，教会组织 UA 新生土桑半日游，免费。游完了，到教会的于长老家吃晚餐。这好像也是该教会的传统节目。

该我讲了。主持人让我讲我信仰的经历。我坦诚地告诉朋友，我是一个信心不足的人。在信耶稣的那个晚上，我这样祷告说，主啊，我愿意相信你，但我信心不足，求你帮助我。耶稣真的帮助了我。有句老话，倾慕上帝的人，必

171

蒙上帝所引领。

我讲完之后，继续 Bingo 的游戏，有两个人中奖。第一个中奖的小伙子上去时，主持人给了他一个十美金的礼品券，然后问他，你如果不要这个，还有另外一个比这更好的礼品，你要不要？你敢不敢冒险？

要，还是不要？

小伙子在犹豫，底下的人，有的喊要，有的喊不要。小伙子最后还是要了，看得见的礼品券，保险。

有人把上帝的恩典比做一个礼物，完全免费，要，还是不要？

我后悔自己刚才忘记讲了一句话，信仰是冒险。但你不得不选择。

2007 年 8 月 27 日

【网友评论】

上周末乡下游，吃到农家自养猪，那个味道，真是好极了。平时一周吃一次市场买来的猪肉，其他 0 都是牛肉，恐怕以后改为每月吃一次猪肉了。

——bigbigboy

很为那个中奖的小伙子遗憾。我相信，另外一个礼物，一定更好。组织迎新活动的都是这么友善的人，10 美元的礼品券都愿意送给他，那么他们说的"还有另外一个比这更好的礼品"，应该不是骗人的。

——howd

土豆炖猪肉怎么看怎么别扭，应该是猪肉炖粉条子吧，呵呵。

——风唤雀翎

我好像闻到烤猪肉的香味了。

——王的说

吴医生的旧衬衫

人生中有一些事情注定是永远也无法忘记的，下面记述的就是这样一件事。

那是 1996 年 11 月 15 日，我在芝加哥参加了"第一届大陆基督徒灵命与使命研讨会"，会议在吴涵仲医生家里开始。

这是一次历史性的会议。参加会议的只有 27 位兄弟姐妹，他们大都来自中国，到北美信了耶稣基督后，献身传福音，成为神学生和传道人。这是他们第一次从北美各地来到芝加哥，相聚一堂，探讨自己的灵命与使命。自中国 20 世纪 70 年代末开放后，这是从大陆出来到海外的年轻一代华人基督徒召开的第一次盛会。唐崇荣牧师为了参加这次只有两天的会议，竟然抱病从印度尼西亚赶来，往返飞行了 60 多个小时。

那天晚上，天刚刚暗下来，吴医生家屋外的彩灯就亮了，他们夫妇为了庆祝这次会议，将圣诞节前夕才点的圣诞灯提前点亮了。

我当时在厨房帮忙。晚饭是吴医生夫妇到中餐馆买的佳肴，30 多人的饭菜，至少得需要三四百美金。我说你们真是破费了。他们夫妇说，感谢主，让我们能接待这些传道人。

吴医生以前告诉过我，说他父母是印尼华侨，珠宝商人。他们信主后，家里经常接待南来北往的传道人，王载、何梁这些著名的牧师，都在他们家住过。传道人一来，他父母总是用家中最好的东西来招待传道人，从用的到吃的，并且还教导自己的孩子们，要敬重神的仆人。

16 岁那年，吴医生在一次布道会上信主，主领那次布道会的，就是华人当中著名的布道家——计志文和赵世光。

那天晚上，当我帮助他们夫妇把一道道佳肴送到地下室时，我不禁想起了这些年来在他们家中举行的一次次聚会。自从1991年来到芝加哥后，我就经常参加在他们家举行的聚会。我才来的时候，只有八九个人，后来几十个人，再后来六七十人。客厅坐不下了，就搬到地下室，有几次还到湖边聚会，一百多人。大家一起在这里唱歌，学《圣经》，分享生命的经历。每一次聚会结束后，他们夫妇总是准备了丰富的水果和点心给大家吃，大家边吃边聊，一聊，就聊到了深夜。

吴医生从医院赶回家时已经5点多钟了。他先跟大家点头说谢谢，然后急忙上楼脱下西装，不一会儿又来到了厨房。他说要亲手做一道面食招待参加会议的兄弟姐妹。这是我第一次听说他会做菜，而且是东南亚风味的菜。我说，菜已经太多了、太好了，不用再做了。

吴医生笑了一笑说："这道菜必须做，这道菜必须做……"

看到我不解的眼光，吴医生的妻子道真姐轻轻地把我拉到一边。悄悄地告诉我说，学德，你就让他做吧，他看到今天有这么多来自中国的基督徒出来传道，非常感动，非常高兴，他非常感谢神，所以一定要为弟兄姐妹亲手做一道菜。

我笑了："好，那我就看看吴医生的手艺。"

站在吴医生旁边看他做菜，我突然发现他身上穿的竟是一件旧衬衫，连领子都磨白了。这是我第一次看到吴医生上班时穿的是什么，原来他不仅穿了一件半旧不新的西装，而且，西装下的衬衣竟然也是半旧不新的。

盯着吴医生的旧衬衫，我心里有些酸，吴医生啊，你拿出那么多的钱来帮助别人，怎么就舍不得给自己买件新衬衫呢？

厨房里热气腾腾的，吴医生不时地擦脸上的汗，但一粒粒汗珠还是冒出来。直到他把面做好了，才开心地笑了，像个小孩子似的说："好了。好了。"我们也都为他高兴。

第二天，我和吴医生夫妇送唐崇荣和陈佐人牧师到机场。一到机场休息室中，吴医生马上就到小食品的售货亭前排队，为两位牧师买饮料。吴医生还要为我买，我拒绝了："我不渴，我不喝饮料。"吴医生也没有为自己买。

把两位牧师送上飞机后，我们就往回走。走了十几步，路过一个公共饮水处，吴医生夫妇就急忙喝起水来。当吴医生低头喝水时，那件旧衬衣的领子又进入了我的视线中，是白色的，已经磨出了毛边。那一瞬间我很感动，不知道说什么好。我想到了卫斯理说的一句话："尽所能地赚取，尽所能地节省，尽所能地给予。"

不久，一位神学生跟我说，学德，吴医生夫妇一直关心我们，连我们孩子的生日都想到了。圣诞节到了，我们想送他一个小礼物，也不知道送他们什么好。我说，送他一件衬衫吧，他身上穿的那件已经旧了。

1998 年秋

【网友评论】

爱是不能忘记的。

——石头的家

有一种人，平俗的外表中，却让人感觉隐隐地透着一种圣洁的质骨！比如范学德老师在这篇文章中介绍的吴医生！瞎子阿丙终其一生破衣滥衫，吃糙嚼粗，但阿丙的内心中的那被音乐淘洗得干干净净的圣洁、孤傲之气节，世人又有几人能比？！

——斯基里茨

诚信乃人格之本。

——范学德

我们都是中国人

一

我认识黄雅惠是在 1995 年夏天。我们教会办了个暑期儿童圣经班，教孩子们唱歌、跳舞、做手工、游戏，给他们讲圣经故事。那一年有十几个孩子参加了暑期儿童圣经班，六七个大人去义务帮忙，大都是孩子的家长，我 3 岁的儿子也参加了这个班，自然，我也去帮忙了。

暑期儿童圣经班开学的第一天，我和黄雅惠一起在地下室准备孩子要做的手工，所以就这么认识了。在那以前，我们在教会中也打过照面，点过头，但从来没有说过话。那天我是第一次跟她说话，我说："真不好意思，在教会里见到你那么多次了，我还不知道你叫什么名字？"

她说："没什么，教会人多，我也不认识好多人，你就叫我 Doris 好了。教会的弟兄姐妹们都叫我 Doris." 直到我写这篇文章，我才去翻开英汉词典，看中文怎么翻译 Doris 的，原来是"多丽丝"。

我这个人有个毛病，记不住中国人的英文名字，也许是拒绝记忆。

于是，我就再问，对不起，我记不住英文名字。怎么称呼你的中文名字？

她姓黄，名雅惠，是台湾本省人，来美国多年了。

黄雅惠个子不高，一看上去就知道是受过高等教育的（果然，她在美国读的研究生），举止很有教养，虽然人有那么一点点严肃，但还是蛮和气的。她那天穿得很整齐的来帮忙，我就有点纳闷，她看上去有四十多岁了，不该有三五岁的小孩子啊，怎么也来帮忙了？就问："哪一个是你的小孩？"

她很自然地说："我没有孩子。"

"哦，对不起。"

我猜想，她既然没有小孩在这里，一定是基督徒来这里义务帮忙的。于是又问："那你是什么时候信主的？"

她又很自然地说："我还没有信耶稣。"

我又赶快说对不起。但心里觉得这事有点怪，可是，不敢瞎问了。

那天，黄雅惠是帮助准备点心和手工。她坐在小孩子坐的小椅子上，拿着一把小剪刀，东剪一下，西剪一下，看得出来，她不经常帮小孩子剪纸，手不那么灵活。但她剪得很认真，剪了一会儿后，还把剪纸举到眼前看几眼，皱了两下眉头，戴上眼镜又修剪了几下，还问我："我做得怎么样？"

别的不说，光是这一股认真劲，我就得说好了。何况，她做得真不错。

不知道怎么回事，看她这么认真地帮忙，我不自觉地又问了她一个问题："黄雅惠，你为什么也来帮忙啊？"

她没有怪我问得无理，微笑着回答："我喜欢这个教会啊，觉得我对教会应该有点回馈。教会有这么多像道真这样的好姐妹，她们是我学习的好榜样啊，我是跟着他们学啊。"道真姐妹的确是许多人的好榜样，我信主就受了她很大的影响，在我写的《我什么不愿成为基督徒》一书中，我曾经写下了我的见闻和感想。

我听后一愣，认为她有见识。就和她一边干活，一边聊天。小孩子玩的手工准备妥当后，我随手叠了一张彩纸，用小剪子剪了几下，就成了一张小剪纸。雅惠一看挺好奇的，说："好啊，好啊，你剪得好啊，可以教小孩子啊。"

我忙说："哪里，哪里，我这是剪着玩的。上小学时学过，快30年了，差不多全忘光了。"

我们就这么聊着，后来就聊到了社会服务问题。雅惠说："我们华人来到美国，享有这么多的好处，应当回馈美国社会。"

我问她："那你参加过社会服务工作吗？"

她说："参加啊。"

她自己这些年来，一直志愿参与社会的服务工作。美国志愿者的社会服务工作很多，像什么到老人院去照顾老人，帮助残疾儿童，照料无家可归的人，到社会福利机构帮忙，等等。雅惠去做的就是这一类工作中的一种或几种。看她从来穿戴得干干净净的，竟然会去服务处于社会底层的人，我挺佩服的："你能这样做，很了不起。"

她说："没有什么啊，这本来就是我们应当做的。"

从那以后，我不但和黄雅惠熟悉了，与她的先生李秀吉也渐渐熟悉了，在教会中彼此见面，就不再只是点点头了，有时还留步说几句话。

二

1997 年我头两次在教会讲道，心里挺紧张的，生怕讲错了什么。我讲的过程中，时而会看看台下的人，一看，就会看到黄雅惠和她的先生李秀吉，他们夫妇总是坐在第三排，有时候还点一点头，会心一笑。崇拜结束后，我站在教堂门口跟大家握手，黄雅惠每次都主动上来跟我握手，微笑着说："学德，你今天讲得很不错。我们很喜欢，学到了很多。"虽然我知道她在鼓励我，但看到她真诚的微笑，心里还是暖洋洋的。

他们夫妇来我们教会好多年了。大概十多年前，他们来到了芝加哥，李秀吉在一家食品公司工作，是高级专家，收入很不错。他们的家住在芝加哥的一个很好的小镇中，房子又大又漂亮，美国梦对他们来说已经不再是梦。他们夫妻除了日常生活外，还爱去听音乐会，到国外旅游，都属于高级享受。日子就这么一天天地过下去了。

没料到，有一年他们的外甥女从台湾来到芝加哥求学，孩子一个人挺孤单的，作长辈的只好帮她找朋友。孩子交朋友是件大事，一不小心被朋友带坏了，就惨了。这时李秀吉夫妇想到了教会。于是四出寻访，发现在他们家附近竟然有一间华人教会——城北华人基督教会（他们后来也惊奇，怎么那么长时间居然不知道附近有华人教会），开车不到 10 分钟。这样他们就领着外甥女来到了教会。

起初，他们不好意思让外甥女一人待在那里，就陪她进了教堂。一次两次，陪着陪着，感觉还不错，自己就喜欢上教会了。再后来，外甥女搬走了，他们却一直留下来了，只要人在芝加哥，他们礼拜天必到教会，并且准时，并且一直坐在右边的第三排。

虽然他们积极参加教会的各项活动，还在金钱上支持教会，但就是迟迟不信主。许多弟兄姐妹都为他们祷告，渴望他们早日信主。我也盼望他们早日信耶稣。我神学院毕业不久，就听到黄雅惠信耶稣了。我听后和大家一样，高兴极了，我觉得这是顺理成章，早该如此，一定会如此的。

忘记是哪一天了，我和黄雅惠在教会的厨房准备好饭菜后，又谈起来了，谈着谈着，不知怎么就谈到了台湾问题。她很坦白地说，她主张台湾独立。她说，她虽然知道台湾经济要发展，必须以大陆为腹地，但她实在害怕文化大革命，害怕"被共产"，她认为台湾应当独立。

我听后吓了一大跳。主张"台独"，这还了得！"台独分子"就是卖国贼，就是中国人一共戴天的死敌啊！多年的教育，已经在我心里打下了深深的烙印，现在这样一个"死敌"竟活生生地站在我面前，但她不是一个面目狰狞的敌人，反而是一个文质彬彬的女性，一个我尊敬的一个有社会公德心的主内姐妹！我真不知说什么好了。

但我还是和她争论起来，我认为海峡两岸必须统一。虽然我们两人还没有争得脸红脖子粗，也没说什么伤和气的话，但我心里很不舒服，觉得自己内心深处珍藏的那份对祖国的神圣感情被伤害了。

我感到自己挺好笑的，怎么一涉及"统"与"独"，这嗓门就高了，还心跳加快，说话速度也明显加快。就连黄雅惠也如此，平时那么文静的人，也激动了，还不时说上一句"你们大陆……"、"你们大陆人……"。多刺耳啊！咳！说到底，我们还是人哪！

好在教会不是政治论坛，很少讨论"统"与"独"的问题。大家也都知道这个问题敏感，都小心地回避它。

还有一次，当我们谈到台湾问题时，又争论了几句，突然，我们都有意识地打住了，停战了。我笑自己，我还是一个传道人，怎么这么没气量啊。

看着我一脸的不好意思，雅惠爽朗地笑了起来，说："这没什么。我告诉你啊，学德，别看我是本省人，我上大学、念研究所时的好朋友，都是外省人。我们和教会的一些弟兄姐妹是多年的好朋友了，什么事都谈得来，就是在这件事上谈不到一起去。没什么啊，我们还是好朋友。"

这话提醒了我。是啊，我们对海峡两岸统一还是独立的看法的确不一样，并且，短时间内谁也说服不了谁，这是一个现实。但这不应妨碍我们成为好弟兄姐妹。互相理解，互相宽容，彼此接纳。主耶稣基督命令我们要彼此相爱，但如果没有理解和宽容，就没有爱。

三

渐渐地我发现，雅惠虽然不承认自己是中国人，但她却爱中国人。我们从国内来的人有什么需要，她很关心。1998 年年底，我在教会推动订阅《海外校园》杂志作礼物送给中国来的朋友，黄雅惠第一个响应，聚会一结束就把一张100 美金的支票交给了我。

1999 年我从内地探亲回来，谈到内地有的弟兄虽然没有什么钱，但当他们清楚地感受到了上帝召呼自己去传福音，就把很好的工作放弃了，献身作传道人。雅惠听完我的讲道，说："这些弟兄这样做实在不容易，我们应当帮助他们。"

下一个礼拜天，她又交给了我一张支票，支持大陆的传道人。

1996 年秋冬，《生命季刊》这份杂志创刊了，它面对的主要对象是来自中国的基督徒。转过年来，有一天，当我去《生命季刊》帮助寄发刊物时，发现雅惠也来了，她和我们一边说说笑笑，一边问这怎么做、那怎么做。后来，在《生命季刊》的义工名单上，就出现了她的名字和她家的电话号码，有什么事找她帮忙，她只要有空就一定会来。有时候，她还主动打电话来："今天有没有什么事需要我帮忙的啊？""今天有没有什么事我能做的啊？"

一开始黄雅惠是隔三差五地来，后来就经常来了。整理信件啊，邮寄刊物啊，什么活她都做。有时候她不认识读者用简体字写来的信件，就一遍又一遍地问别人，从来不抱怨。许多零星的杂志，都是她寄发的，她把它们一本本地装进信封里，写上地址，贴好邮票，然后开车送到邮局。而离开办公室前，她一定把自己的工作台收拾得干干净净。

这几年来，我们教会里来自中国内地的人越来越多了，这多多少少改变了雅惠对内地人的印象。有一次春季大扫除，来了许多内地的弟兄姐妹。雅惠一边擦桌子，一边对我说："以前我对大陆人印象不好。聚餐吃饭时能见到他们的影子，吃完就不见了。要是教会需要帮忙时，就看不见他们了。我以为大陆人都这么缺少道德修养，这几年看，不是这样，你们这些来自大陆的弟兄姐妹很好啊，干什么活都来。"

我说："大陆人也不都一个样啊，好人有很多。"

他们夫妇到大陆旅游两三次，这也改变了对大陆的一些看法。有一次她去敦煌回来后对我说："学德，大陆这些年变化很大，不像我想象的那么落后。"说完之后，她又笑着对我说："我是不是被大陆洗脑了？"我说："大陆才不会洗你的脑呢。你眼见为实嘛。"

有一个礼拜三晚上，十几个弟兄姐妹在教会中祷告。祷告前，大家唱了一些歌，当一位弟兄提议唱《给我一颗中国心》这首歌，我看雅惠坐在那里默不作声，我明白了，她虽然爱中国人，却口里还是说不出给我一颗中国心。

把我们联系在一起的，不是相同的政治见解，不是因为大家都承认自己是"中国人"，只因为大家都有一颗基督的心，是耶稣基督的爱。这时，似乎牧师也看到了这一点，便提议把歌词改成"给我一颗基督的心"，这么一改，雅惠便和大家一起唱了，一直唱到"中国啊，中国啊，我心所爱，愿你不再哭泣"时，她也没有停止。

我真高兴。

半年前，李秀吉在德州找到了一份新工作，而且已经先去了。雅惠把房子卖掉后，也去了。后来我听德州那里的牧师告诉我，雅惠还是很爱大陆人，给他们很多帮助。

写于 2000 年

【网友评论】

但愿从上帝而来的大爱，能够填平那一湾海峡带来的隔膜。

——howd

我们都是中国人，台湾自古以来就是中国神圣不可分割的土地。对了，钓鱼岛也是中国神圣不可分割的岛屿。

——风唤雀翎

是信仰把我们联系在一起，也许这信仰只是一种形式。

——王的说

这老美在中国人里更开心

一

他真是老美，我认识他那年，他都 90 了，还有俩名，英文的叫 Carl Hunker，中文叫杭克安。平日里，绝大多数的中国人都叫他杭牧师。

第一次见到杭牧师是我去堪萨斯一家华人教会。聚会前跟大家聚餐，有人正在给我讲杭牧师怎么怎么爱中国人。说曹操，曹操到，杭牧师来了。他面带微笑走到我面前，握着我的手说，范弟兄，非常欢迎你来。你们从中国出来的人给中国人传福音，太好了。愿上帝祝福你。

那天晚上，他为我祷告，又一直听到布道会结束。散会后，还特意前来对我说，明天我不能来了，愿上帝与你同在。再后，给了我一个拥抱。

大概是半年后，我又一次见到了杭牧师。那是我参加 2006 年的美国中部地区华人基督徒退修会，林三纲弟兄和我担任主讲。林八十多岁了，但看上去就六十多岁。关于他，有一个著名的故事，他有 10 个孩子，最大的已经五十多岁了。

那天在堪萨斯机场接我们俩的就是杭牧师。他要开车送我们到营地，从堪萨斯城到营地，要开 3 个小时的车。我说，杭牧师，还是我开吧，3 个人当中，就我最年轻，才五十多。杭牧师说，没关系的，你休息休息，我去这个营地好多次了，路非常熟悉。我说："还是我开吧。"

路上，我一边开车，一边听他们两人讲故事。

两个老人聊着聊着，就聊到了蒋介石。林三纲说，蒋是由他非常熟悉的一位老弟兄的父亲给施洗的。又说，但我认为不该给蒋介石洗礼。他不是因为信耶稣而要求洗礼的，他受洗，是出于政治上的原因。你看他在大陆执政时做的那些事情，哪里像什么基督徒啊。

停了一会儿，林三纲说，不过，蒋在大陆失败以后，到了台湾，他才真正开始信仰了。我有个老朋友，他认识蒋，说蒋经常跟他夫人一起祷告，一同读《圣经》，读得很认真。他们夫妇还一起去教堂。

杭牧师说，我也认识蒋先生，还给他们夫妇讲过道。

"噢，怎么回事？"我问杭牧师。

杭牧师说："平时都是周联华牧师给他们夫妇讲道。周是我们学校的教授（杭牧师是那个神学院的院长），人非常聪明。有时候，他要到国外参加会议，于是就请我替他一下。"

"你一共讲了几次？"我问。

"四五次吧，杭牧师回答。最紧张的是第一次，我这是给蒋介石讲道啊。我从来没有想过，有点怕。于是，我就祷告。在祷告中，圣灵感动了我的心，有一个声音在心底告诉我，不要怕，你有害怕和问题，他也有害怕和问题。于是，我就以《以赛亚书》第四十三章为题讲道。"

杭牧师说，我发现蒋听得很认真，我引用《圣经》经文的时候，他翻得速度很快，看来，他对圣经挺熟悉的。

杭牧师讲完道后，站到门口跟大家握手，蒋介石走过来，握着他的手说，谢谢你，你讲得很好。

杭牧师还讲了周联华牧师的故事。说周牧师多年为蒋介石夫妇讲道。有时，讲道结束后，蒋会对周说："我约请您一起共进午餐。"

周牧师对杭牧师说："凡是蒋邀请吃饭的时候，那不是邀请，而是命令。"去过多次后，周牧师知道了，凡是这样的时候，都是蒋遇到问题了，当然了，主要是《圣经》中的问题。

一路上说着说着，他们俩都困了，睡着了，还鼾声一阵阵，颇有节奏。可快到营地的时候，我还没有喊，杭牧师就醒了，指指点点，我们就到了营地。

我和他一起到报到处签名，杭牧师好像跟谁都认识，他拍拍负责报到的一个小伙子说，谢谢你们，辛苦啦。小伙子高兴地告诉老人："杭牧师，我们结婚了。"真的啊！杭牧师高兴得像小孩子一样地笑了："太好了！新娘子在哪？"

新郎官不好意思地指着旁边一个漂亮的女孩。杭牧师走过去，握着她的手说："祝福你。"紧接着，他把新郎、新娘拉到一起，把手分别搭在他们的肩膀上说，让我们一起祷告吧。老人家闭上了眼睛祈祷："主啊，求你祝福他们……"

过了一会儿，老人家跟几位兄弟打过招呼后，又把 3 个人还有我拉到一起，其中一人好像是这次会议的主席。杭牧师说，让我们为这次退修会祷告吧。老人把手放在我和另外一个兄弟的肩上，就带领我们祷告了。他们 3 人祷告后，我还在静默之中，老人可能有点急，就轻轻拍了我一下，意思是该你的了。正在这时，我开口祷告了："慈爱的天父，我们恳求你……"

二

那几天，在会后的时间，我和杭牧师交谈了好几次。他告诉我："1946 年我是从加州乘军舰去的中国。那条军舰上一共有 950 个乘客，其中，675 人是传教士。我们大都是年轻人。15 天后，我到达了中国的上海，在码头上，我才第一次见到中国人。我在心中默默地说，我要尽力帮助你们，服侍你们一辈子。"

到了上海，接着去苏州，那里是杭牧师工作的地方。一开始的时候，他在学校里教书。杭牧师说："在这里，我度过了一生中最美好的时光。"多年来，他一直梦想用中国话向中国人传讲上帝之道。为此，他苦苦学习中国话（其实他学的是苏州话）。这一天，终于来到了，1948年12月的第一个主日，杭牧师第一次用中国话向中国人讲道。

但他怎么也没有想到，从梦圆到梦碎，仅仅3天。3天后，上级宣教机构要求他们立即撤离中国。

内战的炮火越来越近了。

将近60年后，杭牧师谈到这一天还激动得话音发颤："我告诉他们，我的生命是要献给中国人的。我不认为我可以离开。但是他们告诉我，这一次只是暂时撤退，撤到菲律宾，等到战火一停止，我就可以再回苏州。"

这一等，杭牧师等了近40年。

直到离开苏州前，杭牧师还坚持给孩子们上课。

"范弟兄，你读过《最后的一课》吧？"他问我，我点头。

杭牧师说："那天，五十多个男孩子都来上课了。我看着这些可爱的孩子，心里好难过，我默默地祷告，主啊，求你保守他们的心。"

我对孩子们说："同学们，这是我的最后一课了……"说完我就哭了，孩子们也哭了。

"我告诉孩子们，我还会回来来教你们的。但我怎么也没有想到，等我再回到苏州时，40年过去了，我自己也七十多了。我回到苏州时非常激动。但我只见到了3个我教过的孩子，其余的孩子们，有的不知下落，有的已经死了。"

40年前离开苏州时，杭牧师的心都碎了，三十多个学生和教会的兄弟姐妹，一起到火车站为他们一家送行。大家说再见，但谁也不知道什么时候能够再相见。到上海，杭牧师亲眼看到到处是饥饿的人，无家可归的人，难民，大人小孩都有，还有妇女。晚上，他们就那么靠着墙坐着，坐着坐着就倒下去了。第二天一大早，卡车来了，就把这些尸首扔到车上，人，就这么没了。"范弟兄，我的心中永远永远也抹不去这一幕。"

1949年10月以后，杭牧师回不去大陆了，他的同伴，有的回美国了，有的和他一样，还在等待。到哪里去？杭牧师进入了黑暗时期。他说："我知道得清清楚楚，是上帝呼召我到中国的，但是，现在却没有机会了。"

他选择到了有华人的菲律宾去，在那里顽强地为华人服务。在马尼拉，他和同伴们不仅建立了当地的第一个华人浸信会，还开办了一个小小的中文学校。在学校里，杭牧师又开始学中国话了，这次，他学的是普通话。

1952 年，杭牧师终于等到了去中国的机会。不过，他去的不是中国内地，而是中国台湾。在台湾，他建立教会，建立神学院。20 世纪 50 年代的台北，人心对福音蛮开放的，杭牧师向上帝祷告，"主啊，我爱传道。求你让我传道，每个主日讲五次道。你让我作什么，求你赐我能力去做到。"那时，他担任 9 个教会和聚会点的牧师，最多的一次，复活节期间，8 天之内，他为 222 个中国人施洗，那年是 1955 年。

1987 年，71 岁的杭牧师退休了，他回到了美国，他的故乡。他说，我回来后感到很痛苦，四十多年过去了，我对自己的祖国却不熟悉了，反而是在中国人中间，我才感到更舒服，更开心。就在这时，他在自己的周围发现了许多中国人，而且他们大都来自内地。于是，他就带领他们组成查经班，建立华人教会，作他们的牧师，把耶稣基督的爱带到中国人中间。就这样，一晃，20 年过去了。这期间的故事，一个又一个。

回首一生的路程，杭牧师在一篇文章的结尾说："在所描述的那些奖励之外，宣教也意味着挫折和痛苦——与亲人分离之痛苦，学习中国方言所饱尝的挫折。当孩子们完成高中学业后，不得不返回美国，而杭牧师感受到了那刺透心房的孤独。

但是，那永恒的祝福——主的爱和他的看顾围绕着杭牧师，因为是主把他的仆人差派出去。这是何等的喜乐啊。我坚信，如果我有一百条生命可以给与，我愿意把它们全部奉献给宣教大业。也许还应该加上一句，就像戴德生说的那样："如果我有一百条生命可以给与，我愿意把它们全部奉献给中国人。"

2006 年 9 月 7 日于芝加哥

【网友评论】

好人，我明白他的"傻"了，顶老范。

——我是被逼的

老美有一种近乎于孩童的执著与天真。

——染香

清晨的渴望

9月1日那天下午，我住进了夏令营营地，营地在密苏里州的中部，群山环绕，山脚下躺着湖，平如镜，时现时隐。

第二天早饭后，我离开了餐厅。刚一推开门，就惊住了，两只蜂鸟正围绕着一个大花盆飞。据说，在这个世界上，只有蜂鸟可以倒着飞。它们倒着飞了一会儿后，又飞回来，还是倒着。又长又细的嘴，叮进了一朵红花里，花儿如喇叭筒。蜂鸟的背部是翠绿色的，正与红花相应，它的两只翅膀，不断地震动，仿佛直升飞机的螺旋桨，又仿佛蜻蜓薄薄的翅膀，透明，淡淡地折射着光。最奇妙的是，翅膀一直在动，但蜂鸟的身子却一动也不动。

看了好一会儿后，我才沿着湖边向前走。湖面平静，倒映着树影，树长在山坡上，山坡顶上有一个小教堂。小教堂只露出了尖顶，尖顶旁边，竖立着一个十字架。阳光照在十字架，十字架发出了金光，金光渐渐地散入了蓝天中，那碧蓝的天空蓝得柔和、飘逸。

小湖的角上，一支白鹭飞过来，"噗噗"几声后，不见了白鹭的踪影，湖边的野草，高高低低地挡住了我的视线。

沿着小路上山。路有两米来宽，两边是杂树、野草和山花，路中间，疏疏落落地长着小草，小草连成了一条绿线。一只兔子跑出来，接着，又一只。两个小家伙一边玩，一边晃动着脑袋，我离它们仅有两步，它们不动了，但眼睛盯着我，红眼睛，很明亮。路那边，一只黄鹂落在了野花上，淡紫色的野花，一小团，又一小团，仿佛绒球。

顺着山路继续上山，前后看不见一人，心里有点怕。突然听到了一个不大不小的声音。是什么？我站住了往四下看，什么也没有啊，只有绿树，鸟鸣。

终于看到了小教堂，十字架。十字架上站着两只大鸟，仿佛鹰，教堂的屋顶上，四五只大鸟站成了一行。看我走近了，嗖，嗖，嗖，它们一声声地飞向高空，如黑色的闪电。

小教堂的门没有锁，我轻轻推开门，里面一个人也没有，只有四五排棕色的长条椅子，椅子正对面，一个小讲台，上面放着一个翻开了的诗歌本。坐在椅子上，我透过讲台后面的大玻璃窗户往前看，又是一个十字架，它独自立在窗户外的正前方。

在这里，在这个清晨，我渴望祈祷。祈祷，那不仅是人心深处的渴望，更是通向自由的路，祷告，就是拥抱自由，就是敞开心灵自由的可能性。

跪在地板上，我祈求上帝怜悯我，赐给我一颗纯洁的心。我的老母亲在病危之中，我祈求上帝赐我老母亲平安。主啊，我在深渊中向你求救。求你垂怜。

走出小教堂，眼前还是绿树，树上还是蓝天，天上还是那几条白云。突然，听到了"咚咚"的响声。是什么？一只啄木鸟正在啄木头，站在黑灰色的大树干上，啄木鸟一次次地点头。"咚咚"的声音，在空山中听起来格外清晰，悦耳。

心，在感受到上帝之爱中，获得自由。

2006 年 9 月 8 日

【网友评论】

我也在寻觅。

——Astraes

保护自己的心灵。

——范学德

团队精神是这么训练出来的

多少年来我一直认为，最能代表一个国家体育水平的，就是奥运金牌数啦。后来开了一点窍，以为是体育设施和参赛活动，最近我才想明白，它是关于体育的观念，特别是在中小学教育中，体育被看成是什么。

以前中国有句口号："发展体育运动，增强人民体质。"还有一句："锻炼身体，保卫祖国。"现在是什么，我不清楚了。我上学那年头，推崇的是学习尖子，瞧不起体育棒子。在美国，倒过来了，你要光是学习好，同学会笑话你是书虫子。体育不好，连朋友都难找。

言归正传。

最近连刮了几天风，吹得天也高了，云也淡了。这棵吹出了半树红叶，那棵吹出的却是半树叶黄，吹落到绿草上的几片枯叶，又被风吹起，飘了几下，又吹落。一群中学生正在操场活动身体，准备参加今天下午的越野赛。我女儿就在其中。她是中学越野俱乐部的成员之一。全校六七八3个年级，一共有十七八人参加了这个俱乐部。

自从她们越野队开始活动的第二周开始，这种各校之间的邀请赛就没断过。一到比赛那天，3点半，校车就来了，在中学办公室的前面等好。上车，拉到比赛场地，下车，活动一下，就开始比赛。几乎每一个赛场都不同，但大致车程都在半个小时以内。

今天下午有4个学校比赛。我去得早了一点，快到3点50分，他们才到齐，然后就做准备活动。我女儿这个学校的由一个男生带领，倒着喊，10、9、8……一直喊到1。弯腰，掰腿，扭动脚脖子；另一组学生很多，有三十来人，我听到的是一个女生的口令，2、4、6、8……还有这么喊的？她就那么喊了，也没人觉得怪。

大多数学生都穿着自己学校的校服，有的没穿，一点也不在乎，带队的老师就像没看到一样。

开始跑了，分年级，分男女。六年级女生这一组，围绕着大草地，跑两圈，一个半英里。我给女儿加油，她得了第 15 名。她那组后面有一对女生，就那么慢吞吞地跑，边跑边聊天，冲刺时保持同一速度，还微笑着，向大家招手。

我问女儿要不要回家，我还有些事情要忙。她说不，她要给队友加油。

果然，她们的队友没有上场时，就组成了拉拉队。一会儿跑到这里喊加油，一会儿又跑到了那里，喊的还是加油。

我们这些家长也成了加油队。一看到她们学校的同学跑过来，就大声加油。八年级有个男生，是她们的队友，在大家的加油下，他拼命冲刺，超过前面的人，得了第一。老师、同学们和家长们都乐坏了。一个拿着照相机的女老师，让那个男生把鞋脱下来，放在一起，再加上他得的奖牌，然后就照相，一边照一边说，神奇的鞋。而那小伙子则站在一边，腼腆地持续微笑，接受校友的祝贺。

带队的老师过来，谢谢我们给加油，然后递上一张纸。我们这些自己把孩子载回家的家长，在上面签下了自己的名字后，才能把孩子带走。

回家的路上，女儿在车上说："我太高兴了。"

我说："我也很高兴，你得了最好的成绩。"

她说："第 15 名啊，爸，你为我自豪吧。"

"当然。"我说，"你把衣服穿上，别着凉了。"

2006 年 9 月 26 日记事

【网友评论】

解放思想是国富民强的前提条件。

——想发言

在我们的中小学教育中，体育被看成是什么？

——范学德

Teamwork，团队精神，没有它美国便不是现时的美国。在学校、工作单位、军队、社区，甚至在公路上，有突发事件，第一时间你能看到的便是美国人的团队精神。你的女儿要留下为她的队友们加油，就像军人们死活都要把他们的战友带回家一样。老范，在州际公路上我见过恶劣的天气，雾浓得化不开。大车祸发生了，驾车的人自动靠边在车里走出来挥动紧急求助的讯号棒，点点亮红的火光无尽头地在公路两边排了下去。直升机不能出动，但警车、救护车、拖车还是一点困难都没有便到了现场。因为道路两侧的火光使他们无需开得太慢。

那一天，我的高速公路蜗牛之旅比平常时间多出了 4 小时，混身湿透但心里充满了感恩的平静。

靠嘴巴讲训练不出团队精神，感受不到众志成城的力量。团队比赛，也增强了年轻人对团队、对自己的责任感。美国，USA，开宗明义地说明了他本来便是合众为一的国度。

——sog

长期关注老范的文章，我的评价就是："一颗真诚的心，一副悲天悯人的情怀。"谢谢老范！

——cherry202

小镇禁烟记

我来美国不久后就到社区大学学英文，免费的，社区为新移民或者观光者开设的课程。课前与课后我发现了一个怪现象，就是抽烟的人，女的居然比男的多！一下了课，在教学大楼外面的大门门口，总能看到几个女同学在吸烟（大楼内禁止吸烟），她们看样子也就 20 来岁。抽完了，就把烟头扔到门口的垃圾箱，进楼上课或者自习。有时候，也能在门前的草地上发现几个烟头，但不多。

可广告上看到的"烟民"，绝大多数是男士。在美国电视台上从来没有看到过香烟广告，估计是禁止，就像药品一样，上不了电视广告。但只要开车一上高速公路，开着开着，总会在路旁看到香烟广告，高高的大牌子，画出几个纯爷们，大都是牛仔，牛仔帽，牛仔装，牛乎乎的眼神，牛乎乎的帅气，再加上烟卷那么一叼，绝对牛！看多了，不知道怎么搞的，我不自觉地就把这牛仔同香烟联系起来了。

我们家离一家大公司不到一英里，我办事时经常开车路过它的门口，其实没有门，只有一个传达室和一道栏杆。正中午了，一些男职工常常来到路边，抽烟，抽完了，烟头扔进停车场旁的垃圾箱中，快步走回办公楼。原来，公司内禁止抽烟，在公司的停车场抽烟也不行。他们的停车场挺大的，从工作的办公楼经过停车场走到路边，怎么也得走七八分钟。我挺佩服他们的，大冬天的，天那么冷，为了过一把烟瘾，走那么远。

第一次进美国餐馆是 1991 年深秋，那是一家中餐馆，由墨西哥餐馆改装的，有点黑。领位的小姐说完"你好"就问我："你们是要到吸烟区还是禁止吸烟区？"

这还有区别，新鲜。我不吸烟，当然选择无烟区。以后发现，无论是中餐馆还是西餐馆，都把吸烟与不吸烟的分开了。

我以为在不吸烟区就安全了。哪里知道，儿子上四年级后，还是对此提出了异议。他们上健康课，老师详细讲解了吸烟如何有害健康，还给他们看录像。他看后回家大声喊，吓死人了。然后还说，二手烟也非常有害，别人吸，通过空气传给你，你也倒大霉了，得癌症啊，肺癌啊。就是用这"二手烟"的理论，回国的时候，他愣是迫使姑父在餐桌上停止了吸烟，逗得姑父一再说，还是美国鬼子厉害！

上星期一他们学校没有课，他读书累了，就看一会儿电视，我在电脑前写作。他正看着，突然大喊："爸！你快来看！"我以为出什么大事了，赶紧去看。原来电视上正在报道，芝加哥地区的一些城镇通过了什么法案，或者规定，反正就是这样啦：今后，禁止在公共场合吸烟。换句话来说，在图书馆、剧院、餐馆、商店、医院、学校和政府部门吸烟是非法的了。

好！我们所在的镇也通过了这条禁令，隔壁的镇也是如此。六七个镇都通过了，有些镇会很快跟进。

真好。

2006 年 10 月 9 日下午 3 时 45 分

【网友评论】

中国的教育中，自取消了宪政教育，代之以政治课后，一直没有法制教育课，所以人们对法的概念很淡薄的。

——龙吟虎啸

今天就抽了一盒特制烟。过滤嘴很长的特制熊猫。俺们这里啥都有特制的，连保姆都有特制的。你们美国羡慕去吧！哈哈。

——应县木塔

"她有时就像天使一样"

住在朋友家，听朋友讲他自己的故事，我一惊再惊。

我说："你也该算是个中央情报局掌控的人物吧。"

他光笑，不说话。

我问："你能去中国吗？"

他说："我很想去，但看来得退休后了。"

"是中央情报局禁止你去？"

"那倒没有。不过，去了后回来很麻烦，你知道，他们每4年对我们进行一次正式的安全检查。"

"嘿嘿，我还真不知道。"我接着说，"看来，是怕你们向中国泄密。尖端技术，诱人啊！"

就像我的许多朋友一样，我的这位朋友也是基督徒，我是在去他们教会讲道时认识的。出于安全的原因，我就把他姓啥，家住何处，在何方供职，都一一隐去。权且叫他X君吧。

X君在美国一家大公司工作，那家公司的电子系统全球第一。X君是博士，研究雷达。雷达被称为导弹的眼睛。他是研究雷达的专家，又是那个研究部门的头头。在那个研究领域，他算是个顶尖的人物之一。雷达吗，肯定与军事有关，自然了，他就与国家机密有关了。

X君给我科普了一下，什么叫"爱国者导弹"、"飞毛腿导弹"、"拦截"等等。"反美国家"要是发出导弹攻击美国，怎么把它在半空中拦截住，什么识别飞弹里的真假弹头，几百万条的程序等等，弄得我张冠李戴，赵冠王也戴。

我还是来点简单的，问："真能拦住？"

他答："应该可以。"

又问："你们公司是私人的？"

他说："是。"

我弄不明白了，美国这是怎么回事啊，这么重要的尖端技术，军事企业，居然私营？不明白。

问点明白的吧。我们就说起了各自的生活。

X君来自中国台湾，20世纪70年代初期来到美国，按照他的说法，他是那种会读书的人，顺理成章，很快就硕士、博士，然后就工作了，不错的一份工作。

读博士的时候，他去教会了。他有点不好意思地说，我去教会目的不纯，是为了认识女孩子。他也不知道从哪里得到了个消息，"教会里的好女孩多"。并且有个口号：要约会，去教会。去吧，就这样，他去了哥伦比亚大学的查经班，还真的就找到了个好女孩，接着约会，再接着，她就成了他的太太。

"我太太真好。"这句话，X君那天说了两三遍，不是当着他太太的面，而是和我聊天时情不自禁地说出来的。怎么个好法呢？我没细问，反正女朋友去哪里，他就跟到哪里，周末跟到查经班，礼拜天跟到教堂，一直跟到结婚。是不是在教堂结婚的？我居然忘记问了。

但年头记在我的本本上了，他们1976年结婚，第二年有了头一个孩子。盼了将近十个月，他怎么也没想到，新生的女儿是痴呆儿，蒙古症患者。他说，当时感觉很不好受，是不是自己做了亏心事，遭到老天的报应。对上帝也挺不满，怎么这样对我啊？压力大，对家里老人不敢说，也怕朋友来访，看出来这孩子有毛病。

"我太太真好。"X君又说，她对这个孩子真有爱心啊，用尽全身心的力量来爱她，照顾她。我女儿活得真很幸福，大家都爱她。1982年，李秀全牧师给她施洗，第二年，她就被天使接走了。

我说，我从来没有亲身接触过痴呆儿，不知道她们怎么样。

X君说，她有时就像天使一样。非常天真，非常纯洁，对谁都好，跟什么人都打招呼，没有一点诡计。她长得白白的、胖胖的，非常可爱。智力就两三岁孩子那么大，你要是抱抱她，她就特别高兴。有时她也会生气，但过一会儿就过去了，从不记仇。真的，"她有时就像天使一样"。

X君说："这个孩子教我明白了一件事，我根本就不可能掌握一切。"

"你不是很生上帝的气吗？后来怎么发生变化了？"我问。

"那时，我很无助，就祷告，求上帝给我一个健康的孩子。"

"给了吗？"我问。

"给了，并且是两个，双胞胎。"

天哪！

2006 年 10 月 9 日夜 10：40

【网友评论】

每天看看老范的絮叨，真是一种享受！勤奋点，多多写些。

——那个夏季 1987

相比于语言，范牧师更多地以人格影响别人。范学德是我在猫眼敬重的人之一。

——莫问

好好的帖子……咋就被跟得火药味十足？真不明白……有意义吗？

——狐狸头

一美籍华裔少年如此夸中国

题记：听说我儿子和我一起多次回中国，有几个网友就建议，让我儿子写一下他到中国后的观感。我同他说了，他就写了。写好后在我这放了一个多月，今天晚上我才把它翻译出来。有些地方翻译得不好，请大家指教。我儿子在美国出生，今年 14 岁，刚刚上高一，我叫他羊羊。先别管他写得对不对，最重要的是，他写的是自己的真实想法。不受限制的独立思考，这是培育公民的必由之路。

中国对我来说并不陌生。我去过那里 6 次了，看望我们的亲戚，同时度假。通过这些，我开始了解中国并爱上了中国。我爱中国的许多东西，同时，尽管我爱中国，但中国也有一些东西令我烦恼。

我爱中国的许多东西。首先，那当然是了不起的中国食品。我喜欢各种各样的食品，但我特别喜欢中国食品。各种各样的中国食品我都喜欢，从简单的炒菜，到最高档的北京烤鸭。现在，我还好像闻到了韩国烤肉的味道，而中国南方的辣味食品让我的嘴充满了辣味。

第二，乡村是游览的好地方。我父亲的老家在辽宁凤城。这个小镇在丹东和沈阳之间，它那里最吸引人的一个去处就是凤凰山。凤凰山，多么引人注目的美景。那里有溪流从山峰流下，山峰矗立在银色的云彩之中。那苍翠的绿色风光，不仅看起来美丽无比，并且空气也让人倍感清新。即使追忆我在山间漫步，也令我充满了不可言说的喜悦。

第三，在中国，我喜欢步行，它是那么自然地与每一天的生命融为一体。在美国，主要的交通工具是汽车，无论你到哪里，你都要以车代步。在中国，生活似乎是建立在你要到处走走的基础上。在中国的每一天，我都喜欢从叔叔家走到奶奶家。晚上在叔叔家睡觉，白天待在奶奶家。我可以步行到饭店去吃饭，也可以走到游乐场，在那儿，我照料我的小侄子、小外甥，和他们一起玩。走路对于身体来说是一个很好的锻炼。在中国，我觉得很健康。

第四，我喜欢中国的厕所开始变化了，从茅坑变成了现代厕所。我喜欢这一点基于两个理由：其一，现在使用的个人便盆比茅坑更能保持环境的清洁，在旧式茅坑那里，细菌会在里面生长并传播。而现代的便池，水会冲走所有的病菌和排泄物，从而令便盆实际上变得比一般厨房的洗涤槽还干净；其二，我一直认为，茅房真的很粗野，恶心，闻起来臭乎乎的，都臭得发霉了。

我喜欢中国的第五个理由是，中国是我的故乡，是我承继的传统。我的父母来自中国，中国血流在我的血液中。每一天，当我照镜子或者看到自己的皮肤时，我总是记得，我是一个中国人，并对此毫无羞愧。实际上，我为自己来自这样一个伟大的国家而感到自豪，尽管我爱美国爱得更多。我为什么会这样，答案很简单：因为这是我的国家。尽管我来自中国，但中国不是我的国家，他是你们的，如果你是中国人。真的，我的父母喜欢住在中国，但我喜欢住在美国。尽管我非常非常喜欢中国，但我无法爱她就像爱自己的祖国一样。也许，你们会来到美国，并且住一段时间，那么，也请你写篇文章，谈谈你喜欢美国的什么地方。

2006 年 10 月 11 日

【网友评论】

写得很实在，不错！

——demodemo

我儿子没有写对中国的负面印象，他说，怕挨骂。

——范学德

小美国鬼子对中国的坏印象

今年回国探亲，有一天去了丹东，那天是个阴天，我和儿子一起登上了鸭绿江大桥，门票我现在还留着，20 元。我上的是断桥，迟浩田题字"鸭绿江断桥"。我不懂书法，但看到了许多领导到处题字，知道这是"中国特色"。

"鸭绿江断桥"顾名思义，就是桥到江中就断了。对面那个国家，一片残败景色，人的脸，大都木然，而那当兵的，更是把脸拉长到了最大限度。

我问儿子，你对中国有什么不好的印象？他眼看就上高中了，对许多事情都有自己的独立看法。脏，对吧？我知道这肯定是他的第一印象。

他说："是。太脏了，菜市场都脏死了，还有饭馆，菜那么好吃，厕所那么脏，搞什么搞啊。"

我赶快补充："大饭店的厕所还满干净的嘛。"

他说："对，北京厕所不错。"

但他不明白一个问题："爸，其实人家里都挺干净的，怎么楼梯里就那么脏。"

我苦笑，说："这是中国特色。"

"中国特色？"他不明白，耸耸肩。

"还有哪儿？"

"不排队。到哪儿都不排队。那次上公共汽车，就四五个人，也挤。挤什么挤啊，都能上去。就是不排队，气死人了。"

"还有呢？"

"汽车开得真吓人啦，马路上人还走哪，他一下子就开过去，还是在北京。"

我说："中国司机技术高。"

他说："我知道，我听有个叔叔说了，中国出租汽车司机都是一流的，二流的都被撞死了。那天，叔叔还讲了老外的一个笑话，说他到中国的第一年，是等绿灯亮了，他才过马路口。现在，第三年了，红灯亮着，他就敢跳过栏杆。"

"你可别学这，万一起跳技术不好，就成肉酱啦。"我接着说，"这也不能全怪汽车司机。你也看见了，红灯都亮了，有人还穿马路，警察看了也没反应。你还有什么看法？"

"中国人说话没礼貌。连'请'字都不会说，碰着人了，都不说句'对不起'。我最讨厌就是他们说我是香蕉，当我面就说，气死我了。"

我解释："他们的意思是说你外表是黄种人，但里面的想法是美国式的。"

儿子说："我知道。哎，爸，你说中国人讲话怎么那么大声啊？连在饭店里都大声喊。"

我解释："以前是没有麦克风，现在是营养条件好了，劲头足。"

儿子不明白，说："你说什么啊？"

我说："没说什么，练习幽默。你再说。"

"还有什么呢？对了，没有树。"儿子说。

我说："你这是瞎说吧，你看凤城多少树啊。"

儿子解释："我是说大城市，你看沈阳，才几棵树啊。"

我无话，心想，你还没看上海呢。当然了，我没有给他介绍在这些大城市的美好规划中，有多少绿地。

"儿子，你不懂中国国情。算了，我们聊点别的。"

于是他问："爸，我们今晚上吃什么啊？"

2006 年 10 年 13 日

【网友评论】

楼主，这些地球人都知道，来点都不知道的吧。

——薛定谔猫

孩子是在说实话，也是中国的实际情况，只不过，我们不愿意去正视这些吧。

——潜水荷

童言无忌，的确！

——chixinmin

"助捐"

"Matchcontribution"这个词，不知道该怎么翻译成中文。它的实际内容是这样的：有人愿意这样做，如果你捐献一块钱给某个慈善机构，他就会捐同样数量的钱给这个机构。有人说，可以把它翻译成"助捐"。

"助捐"，不但个人这样做，公司、企业也这样做。我一个朋友所在的公司，是一个大公司，每年都来这么一回。公司内的员工，凡是捐钱给哪一个社会慈善机构，公司就捐同样的钱给这个机构。于是，员工们就向他们认为需要帮助的人们伸出援助之手。有一年，我们教会就收到了几笔这样的捐款，并把它用到了中文学校的工作上。

《游子吟》这本书，大概是在北美发行最多的中文书籍之一，几年前我就听说，它发行了至少50万册。这本书后来是使者出版社印刷的，免费送给了许多朋友。它怎么可能发行这么多本呢，一个重要的窍门就是"助捐"，一些美国人，虽然不懂中文，但听中国学者学生说这本书很不错，于是他们就"助捐"来印这本书，你出一块钱，我就帮助你再加上一块钱。于是，这本书就以最便宜的价格大量地印刷。

这些用于社会慈善事业的捐款，可以帮助企业免掉一部分的税。

昨天下午，我去教会的路上，听到一个电台正在搞"助捐"。这是一个基督教电台，专门播放基督教歌曲、爵士音乐，我很喜欢听。它一开始是怎么起头的，我没有听到，到我听的时候，消息就是这样：两个钟头内，100个人，你捐多少数量的钱，它就捐多少数量的钱。还剩下 45 分钟了，已经有 92 人捐款了，还剩下 8 个人。等到我开车回家的时候，"助捐"已经结束。

服务社会，这是每一个公民的天职，越是有能力的，就越是应该多多地奉献、"助捐"，这就是公民服务社会的一种美好途径。

2006 年 10 月 19 日

【网友评论】

这是老范少数几篇看了不觉得恶心的贴子。

——1066491

一些人对自己苦难的同胞没有怜悯之心，甚至反对捐助。即便搞了"助捐"也是没多少反应的。

——雨人 ET

美国人的教会让他们信任，他们觉得通过教会把这笔钱用出去可以让他们信赖。

——往日不可追

我直接捐款给路边的老人了。前日看到一个十分瘦弱的老头，坐在路边的椅子上数着空的饮料瓶，我掏出 20 元钱给了他，他说谢谢我。我想，老人是从农村来的吧，他的儿女可能不养他，才出来捡破烂。

——心里沉甸甸

我出师不利啊

第一次外出传福音就一败涂地，这给我留下了深刻的印象。那件事发生在1997年9月20日，我应邀到底特律去布道，吴正群牧师发的邀请，他们教会叫做"中华福音教会"。

几个月前接到这个邀请时我很激动。当时我还是神学生，正在慕迪圣经学院读硕士，课已经上了一半，连"布道学"的课也上完了，还得了个"A"，挺得意的。那门课最后有一大段时间是实习，按要求准备布道的稿子，然后，当着全体同学的面讲。学生讲的时候，老师在后面录像，最后，全体同学评论。录像带给学生一份回家看。我看自己还行，就是英语发音太糟糕了。

虽然"布道学"我得了"A"，但直到那时为止，我还没有正式在任何教会布过道，因此，到中华福音教会去布道，是我布道生涯的第一步，我要出山了。"出师未捷"是古今的大忌，我盼望不仅旗开得胜，而且要大胜。

提前半个月，我就把布道稿写好了，写了15页。然后，背，还录了一遍音，听过自己的录音后，又改进了一点。当然了，还有许多的祷告，我希望通过这次布道，能带领许多朋友相信耶稣基督。

那天晚上的布道会来了将近200人。估计至少应该有四分之一的人是非基督徒。我估计怎么也应该有四五人信主。我讲了将近一个半小时，最后祷告，然后问大家，有没有谁愿意接受耶稣基督为主？愿意的人请把手举起来。问了一遍，没有一个人举手。再祷告，再问，还是一样。第三次带领大家祷告的同时，我有点急了，自己也祷告，主，请你做感动人心的工作，让他们归向你。然后，我问。但还是一样，一个举手的也没有。

我很沮丧。集会结束，大家到楼下吃点心，我也从台上下来了。刚到人群中，有一个女士就走过来跟我说话，问我："范先生，今晚上一个信主的人也没有，你感受如何？"我的具体回答是什么，记不准确了，大意是没什么，上帝掌管一切。但那天晚上睡觉前，我就知道，自己撒谎了。其实我很在乎，哪怕有两三个人听了我的布道后能信主，也很好啊。但是，一个也没有。心里真难受。

过了很长一段时间我才明白，我这头一脚没有踢开，真好。我这个人历来骄傲，觉得自己有思想，又有口才，这次又打上着为了上帝的旗号，要是我旗开得胜，高奏凯歌，我就更不知道天高地厚，以为自己多了不起啦。这下子好，一个也没有。这就令我再也不敢自恃自己的知识和口才，同时也开始明白了《圣经》中的一句话：若不是被圣灵感动的，没有能说耶稣是主的。

2007 年 10 月 15 日

【网友评论】

屡败屡战也是一种选择。

——无花果

第四季

冬

以下故事发生在冬天。在这个季节，希望似乎隐藏起来，因此生命就更需要一份坚韧。

你干嘛拿枪打我

说这话的"我"，不是我，是我的一个朋友，姓姚。他真的挨了一枪，枪眼紧靠着脊椎骨的下端，再朝上一点，他会终生瘫痪。他说他在心里问那个枪手："我没招你没惹你的，你干嘛拿枪打我？"

我不知道。

我与姚兄第一次见面是在一位美国朋友的家中，那是 1992 年。从那以后，我们俩一见面，就瞎聊、穷侃。一晃，几年就过去了。到了 1995 年我信主，我们俩就换了话题，谈起了耶稣。

姚兄说："信耶稣好。"

我说："既然好，那你就信啊。"

他说："别急，等等看。"

于是，我邀请他们夫妇到我们教会来，他说："好，好，我来，我来。"

他们来了。从他们家开车到我们教会，光在高速公路上跑就得五十多分钟。

一个礼拜六傍晚，姚兄到公寓前的停车场修理他的老破车，准备礼拜天去教会。他蹲下不久，他太太就听到了"砰"的一声。他们没想到会是人打枪，就是想到打枪，也想不到把他当成了靶子。他后来还跟我开玩笑说："老范，你说，我们一向规规矩矩地住在这过小日子，也从没招谁惹谁的，他打我到底要干什么呢？"

我说："不知道，你总不能一联想就把这事与种族歧视联系起来吧。"

他说："也是。"

那天姚兄是先听到了枪声，等到他感觉到后脊梁剧烈疼痛时，他的第一个念头是："完了，我中枪子了。"

瞄准了姚兄打枪的那个人是个美国少年，住在姚兄住的公寓的对面，十三四岁。据他的律师说，那孩子没有什么白种人与黄种人的种族偏见。他家大人把枪放在抽屉里，他拿出来了，要玩，还要玩个痛快，打。于是，那个中学生就用活人当靶子来打了。是什么人他没挑剔，反正瞄准了人就行。他瞄准了，射击，击中。在那个中学生的旁边，还有几个同学看着他打枪。

事发后，来了架小飞机，把姚兄直接送到了医院，抢出了时间。

姚太太在当天晚上 11 点半左右给我打电话的。她哭了，问我怎么办。我一下子懵了，不知怎么办。我一再重复地说："你要祷告。让他祷告。我们一起祷告，求上帝保佑他。"

第三天上午，我和几位兄弟姐妹一同到病房去探访姚兄。他躺在病床上，心情很平静。为他祷告时，我情不自禁地跪在地上，失声痛哭。姚兄也哭了。但他没有抱怨什么，反而一再感谢神，说神保佑了他，不然，他就没命了。最后他告诉我们："我信主了。"

出院后不久，姚兄就在我们教会受洗，成为一个基督徒。

从那以后，我明白了，枪支威胁，的确是美国社会空间的一道巨大阴影。

2005 年 2 月 12 日，修改旧作

【网友评论】

感觉这不是枪支问题，而是小孩教育问题。中国拿菜刀砍人的也不少啊。

——temp01

美国的枪支问题的确是个大问题，但美国也没有变成想象中枪林弹雨的战场啊。美国之所以允许个人持枪，其立法的最初与最终目的，就是允许人民有

与政府对抗的力量，一旦有一天国家政府蜕变成独裁政府，人民可以拿起枪上街推翻它。这就是为什么美国的枪械法案始终在争论中屹立不倒的原因。

——dodoo2000

我们的春节联欢会

今年的大年初五是礼拜天。从下午 2 点到 4 点多钟，我们教会和教会办的中文学校联合举办了每年一度的春节联欢会。这个联欢会是多年的传统了，主要是小孩子们演出。导演就是教这些孩子的各个老师，而主题也很简单，没有任何说教，就是欢庆春节。欢庆，本来就是春节的主旋律。

一开始，节目主持人姚卓君姐妹简短地说了几句话，感谢每一个中文老师一年来的辛勤劳动。祝大家新春快乐，恭喜发财。

黄牧师来了一篇短讲，学做人。他说，我们过去习惯的方式是教育孩子听话，但在美国，只会听话的孩子并不是好孩子。一个学生上课时指出了老师的错处，老师会表扬这个孩子，说谢谢你告诉我。回家后我问儿子："这是真的？"他说是的，学生们都抢着指出老师的错误，酷！

黄牧师说，有一句老话，年难过，难过年，年年难过，年年过；人难做，难做人，人人难做，人人做。那么，做人的标准是什么？有没有一个绝对标准？这的确是一个问题。

演出的第一个节目是才上中文学校的小孩子们唱儿歌《太阳出来了》《丑小鸭》。另一个小班的儿歌是《新年好》《世上只有妈妈好》《泥娃娃》。最后一段好像是，泥娃娃，泥娃娃，没有爸爸，没有妈妈，我做你爸爸，我做你妈妈。看得观众席上的爸爸妈妈哈哈哈大笑。我喜欢这些中国儿歌，更喜欢孩子们的纯真。

两个小品，一个是古老的外国童话《金鹅的故事》，一个是国内演过的节目《时代反差》。讲的是饭馆在改革前后发生的变化。我儿子和他的"媳妇"一起吃饭。他在背台词的时候怎么也不理解那句话：鸡鸭鱼肉赶下台，王八蝎子爬上来。我也懒得解释了，太复杂。

华人的孩子学乐器的特别多，并且都很棒。今年有小提琴协奏、钢琴独奏，演奏的都是世界名曲。还有一位家长弹琵琶，她在国内学过，但现在改行了。

然后是两个中国武术，两个中国舞蹈。教舞蹈的老师原来是芭蕾舞演员，演过白毛女。她教大孩子跳的是孔雀舞，我女儿和几个女孩一起跳，看得我眼睛都发直了，一结束，就跟大伙一起使劲鼓掌。

滑稽的是我们大人演的节目，唱了一首歌"我们都有一个家，名字叫中国"。我儿子也会唱，他用钢琴给我们伴奏，我们居然少唱了一段。另一组大人节目是中文学校老师们的小合唱，《兰花草》和《乡间小路》。唱了一段后，就叫大家一起跟着唱，结果台上台下这些老学生们，不论来自海峡哪一岸的，都忘情地沉醉在当年的校园歌曲中，"走在乡间的小路上……"

主持人姚卓君姐妹的主要工作就是鼓励大家再一次热烈鼓掌。因为每一个节目演出时，孩子的家长都瞪大了眼睛，盯着自己的孩子，且录像机与照相机并用，节目还没有结束，就已经热烈地鼓掌了。于是，姚卓君说：让我们再一次为小朋友的美好演出热烈鼓掌！

有几个与中国人结婚的白人，也带自己的孩子来了。

最后一个节目，发红包。来到晚会的每一个小朋友，都收到了一个红包，里面有一个硬币，一美金。

演出结束后，家长们开心死了，孩子们成了夸奖的中心，赞美声一句接着一句，还冲过去拥抱，亲吻，轻轻地拍肩膀，击拳。而这些孩子们一点也不谦虚，听到了一句句"你们好棒"，"太漂亮了"，"演得真好"之后，一律用两个字回答——"谢谢"。

大家是笑着下楼吃点心的。每一家都准备了精美的点心，有一对老基督徒夫妇，他们虽然没有孩子参加表演，但也为大家准备了一道道美餐。每样点心都尝过后，几个朋友都说，晚饭不用吃了。

有几家还得赶另一场，孔雀舞要在另一个中文学校再演出一遍。问小演员们累不累，她们都说不累不累。那好，走吧。上车。

2005 年 2 月 14 日，大年初六

【网友评论】

真实的快乐最美好！快乐是要用心感受的！不是没心没肺的傻乐！更不是对现实的逃避！

——应县木塔

很喜欢这种可以自娱自乐的"春节联欢会"，不需要太专业的表演，以家庭作为单位共同参与其中。多个家庭或"小团体"之间的互动能够让人体验到身心的欢快以及人与人之间真诚交流的喜悦。这才是轻松、自由、和谐社会的体现。

——jrnjr

假如中美再战？

6 点半时，儿子走进了我们房间，他掀开窗帘一看，说，哦，下大雪了。我急忙起床，下地，穿上棉袄棉裤，打开车库门，拿起大铁锨就出门了，铲雪！

好大的雪啊，眼前一片雪白，连青松都被大雪压住了，只露出一点点深

绿。街对面的邻居家，银白的房顶，一轮又红又大的太阳挤在小树林中。天更蓝了，几缕淡粉色的彩霞，仿佛女孩的头巾，被风轻轻吹动着。

一尺多厚的大雪。

隔壁邻居正用扫雪机扫雪，雪浪飞起来有一人高，成弧旋形落到了雪野上。我更愿意用大铁锹扫，慢一点，但活动了身体，也牵动了许多美好的回忆：这季节小时候在家里，是用铁锹铲雪的。东北的雪真大啊，那时人小，看雪那么厚，直发愁，怎么老是扫不完哪！

后来听说过一个新词，叫历史积淀。

铲了几锹雪后，劲头来了，想玩，弄上满满的一锹雪，一挥，向门口的大枫树扔去，雪落在了围绕着枫树的小柏树上，一支小兔子突然窜出来，头也不回地跑，跑进了墙角的小树丛中，不见了，只留下了一行脚印。嘿，人们为什么说兔子尾巴长不了呢？兔子尾巴，挺好看的。

手在动，脑子也在动。路上，两个中年妇女散步过来，打招呼，嗨！邻居问我用不用他的扫雪机，我说，谢谢，不用了。

昨天上午，一位网友给我打电话，这是我收到的第一个猫眼网友打来的国际长途。他是美国人，在大陆做生意。他说，在大陆做生意时，时常有人问他，如果中国和美国打仗，你帮着谁打？他回答，我当然是帮着美国打了。我们家在美国生活已经三代了，是美国人。估计大陆人看他长的那一个大中华脸（他的脸什么样，我不知道），觉得不明白。他就说，你们不能叫我当美奸哪！背叛祖国。再说了，中国，你们中国给我什么了，我申请中国绿卡你们都绝对不会批。

我当时忘了说一句，别这样，中国毕竟还给了老兄你一个做买卖的机会。不过，他说的那句话真精彩，不能叫美籍华人当美奸哪！

我给他讲了我儿子的故事，儿子生在美国，是地道的美国人，但以中国血统而自豪，这两天还在背中国小品哪。上次看奥运会时，他十几岁了，一看到中国运动员参加决赛，就兴奋了，大声喊，打败日本人，打败德国人，打败加拿大人等等。我小女儿则和我一样，喊，中国，加油！但一看到中美两国运动员一起决赛时，儿子就沉默了，转过脸看我，满是悲伤与无奈。

有一次，我问他："儿子，你是希望中国赢，还是美国赢？"

儿子一笑，问我："爸，你说呢？"

我说："我问的是你啊。"

"那你让我说真话还是假话？"

我说："你当然知道我希望你说什么了。"

儿子说："爸，那我就说了，你可别生气，我还是希望美国赢。"

我说："谢谢儿子，跟爸爸说实话。"

儿子反问我："爸，你肯定希望中国赢了，对吧？"

我没有回答，但我想，儿子明白，我当然希望中国赢。

我在电话中跟网友说，我儿子的想法和你一模一样。我补充说，一个自由而民主的中国，绝对不会与美国打仗！中国正在艰难而又缓慢地走向一个民主的中国，至少，这是人心所向，大势所趋。

我还没有看到一个海外华人盼望中美再战。就拿我们小小的教会来说，每当中美关系紧张的时候，兄弟姐妹都诚心地为中美两国领导人祷告，盼望上帝赐给他们丰富的智慧，盼望他们以两国老百姓的利益为重，为两国人民带来和平、自由和幸福。

至于我自己，我绝对不会帮美国打中国，也不会帮中国打美国。我会选择拒绝参战，哪怕为此而坐牢。毕竟，在美国，公民还有拒绝支持战争的自由、公开反对战争的自由。

我祈祷那一天永远也不要出现。用一句听了许多年的话来说，我愿中美两国人民世世代代友好下去。

2005 年 12 月 9 日

【网友评论】

范老现在也开始发这么刺激的贴子了。美中再战，两国的人民都跑不了。因为那是谁都输不起的战争，结果只有一个——核战，两国都完了。

——裸奔一号

范先生句句都是掏心窝子的话，感动……

——博启

中美如果开战，如果我是范学德，我会选择向那位反战母亲一样，反对美国政府的决定。

——业余爱好众多

一个自由而民主的中国，不会与美国打仗！

——客观猫

十二月六日是什么日子

今天下午，接儿子和女儿放学回家。一坐到车里，儿子就大声问："爸！爸！你知道 12 月 6 日是什么日子吗？"

一看我不知道，儿子就说："告诉你吧，爸，是交换礼物的日子。是法国人。他们不像美国人，在圣诞节交换礼物，他们在 12 月 6 日就交换礼物了，有意思吧？"

哦，原来是这么回事。我马上联想到了那一幅温馨的图景：全家人围绕在绿色的圣诞树前，那树上挂满了五颜六色的小东西。孩子迫不及待地撕开礼品盒的鲜艳包装纸，父母微笑地注视着自己的孩子。孩子发出"啊"的惊叫，"噢！太好了！""啊，这正是我想要的。""妈妈，我爱你！""爸爸，谢谢你！"然后，孩子扑到妈妈爸爸的怀中，给他们一个拥抱、一个亲吻……

我爱你，我在乎你，我们是一家人，也许，这些都是在圣诞节期间交换礼物的意义。我想，12月6日这一天，当法国人交换礼物的时候，他们心中一定会想到一个字：爱。

大人和小孩子，都不会忘记这个日子。

儿子继续告诉我："圣诞节时，法国人吃很多好东西。他们还吃鹅的那个什么了，对，鹅肝，馋死人了！还吃大龙虾，还有许多好东西……"

"你从哪里知道这些的？"我问。

"书里啊。今天上法语课时，课文是介绍法国的圣诞节的。我还没吃过鹅肝哪。12月6日就交换礼物，这么早，真有意思，真好！"

2005年12月13日

【网友评论】

法国人真幸运，当他们纪念12月6日的时候，心中会想到一个字：爱。

——愤青杀破狼

我知道，还是不知道，这是个问题。我沉默了。

——小国小民

妈，你喷口血

我们家老大今年13岁，小的10岁。今晚全家一起吃晚饭时，吃着吃着，妻子突然感慨，他们俩小的时候，就盼着他们快点长大。真的大了，一算，在家没几天了。老大明年上高中，再过几年，就上大学了，一上大学，就飞了。

我看着两个孩子，什么话也没说。妻子看我不接话，以为我不想说，就撂下了这个话头。而我，则想起了前几年在大陆上红过的一首歌：世上只有妈妈好，有妈的孩子是个宝。歌词我记得不太准了，但那句记住了，"有妈的孩子是个宝"。但我却歪着想了，其实，相反的道理也是对的，有孩子的父母是有福气的。

孩子是父母的喜悦。

孩子是父母的宝，尤其是中国的父母。

我想到了一个朋友。他们夫妇有一个非常出色的孩子，十五六岁了，上高中，是好学校中的好学生。有一天，这小伙子坐校车和同学们郊游。回来的路上，司机说我渴了，然后，车就停在了路边。小伙子急忙下车替司机买水，他从车前面刚跨出没两步，从后面冲过来的车就把这年轻人撞死了。突然失去了独生子，父母痛不欲生。由于绝望，不久后，孩子的父亲就有了外遇，再以后，他们夫妻离婚了。

还有一位朋友，很有钱，有一个孩子，也是年轻人，学习非常好。父母连他上哈佛的学费都准备好了。并且他们还计划，等孩子上大学的考试一结束，全家就去欧洲旅游。哪想到，就在这年轻人准备高考期间，发现他得了癌症，不到半年就过世了。好长一段时间，父母以泪洗面，度日如年。

中国古人讲人生有三大不幸，其中的一个就是老年丧子，白发人送黑发人。其实，何止是老人，中年人也是一样，中年丧子，也会令父母痛不欲生。

昨天晚上，一位朋友来我们家吃晚饭。吃饭的时候，她和我妻子就聊起来了。母亲们聊天，孩子是一个永久的话题。那个朋友说："我生孩子，可遭老了罪了，什么也不能吃，吃什么吐什么，连血都吐过。孩子一生下来，由于缺钙，脸就是一张皮，忽悠忽悠的。"

我插嘴："看你儿子挺健康的。"

她说："可不是呗，现在他好了，小时候，我们像伺候皇帝那么伺候他的。"

不容易，养大一个孩子真不容易。

又聊了一会儿后，我妻子问她："你儿子喜欢回国吗？"

她说："喜欢。回去不学好，就学坏话。问他小哥哥，怎么用中文骂人，气死人的话。特别愿意学那四个字成语的。前两天我说了他一点什么了，他就急了，说，'妈，你血口喷'，不，'你喷血'，'你，你喷血口，'不，是怎么说了，'妈，你喷血？'"

他母亲说："你是想说血口喷人？"

他说："对，就是血口喷人。妈，你血口喷人！你老是血口喷人！"

听到这里，大家哈哈大笑。但我却笑不出口。你老是血口喷人！年轻人的这句话，令我陷入了深思之中。

2005 年 12 月 14 日

【网友评论】

为了父母，要好好的活。

——稍后重启动

范先生只不过多点经验、多点思想、多点信仰、多说点实话，却经常成为某些人血口喷人的对象，同情！

——大漠荒烟

范学德注意，说话是要负责的，不怕你的孩子不会有好下场吗？

——左派大哥

老范：最近看到个别人在跟你无理取闹，可能使你不解或有点心灰意冷。别太在意这些，相信自己、相信这里大多数人对你的支持。这时，俺想起了自己 ID 的由来。"有一种鸟儿是永远也关不住的，因为它的每片羽毛上都沾满了自由的光辉。"一个人能够在 15 年痛苦的牢狱生活里，不放弃对自由的向往，这是一种怎么样的精神力量？所以他成功了，成功地夺回了自由。《肖申克的救赎》中有这样一句话：体制化是这样一种东西，一开始你排斥它，后来你习惯它，直到最后你离开它。想想看，我们的身体已经有多大的一部分被体制化了？

——肖申克

婚姻变奏曲真绝

这也是一个早就想写的故事了。故事的主角是一位美国男士，姑且称之为 W 君。W 君人过三十，专业人士，工作多年，薪水不错，已婚，有妻，有子，有女，一样一个，年龄和我的孩子相当。

那时我们两家离得不远，有时孩子就到一起玩，尤其是周末。有一次，我儿子举行生日聚会，来了十几个小朋友，他的两个孩子也来了。那一次，我准备了许多菜，还买了个大西瓜，自己用小刀在西瓜皮上刻了半天，刻上了儿子的名字，又刻出了四个中文大字：生日快乐。小孩子看了后都大喊："啊！酷！"

但眼睛紧紧盯的，还是生日蛋糕。

在小孩子们分蛋糕吃时，我和 W 君在墙角就聊起来了。忘记是怎么开头的了，反正我就突然问他了："如果你中了个乐透，你会干什么？"

他笑了，说："我中了，干什么？我不知道。"

我开玩笑说："你一定会休了太太，找一个年轻的女孩。"

他歪着头看我，说："范，你怎么能这样说！我爱我的妻子。"

"亲爱的，我爱你，对吧？"他说完就把太太搂进了怀里，还亲了一口，响亮的吻。他妻子不瘦，而他身材高大魁梧，正好把太太搂个结结实实。

大家哈哈大笑。

过了大概有半年吧，有一天，有位朋友告诉我："学德，真没想到啊。"

我问："没想到什么啊？"

他说："W 君要和老婆离婚啦！"

我大吃一惊，但看他的脸，不像开玩笑的样子，就不言语了，静静地听他述说详情。

W君在芝加哥城里上班，天天坐火车去，坐火车回。钟点都差不多，要是晚了，差半个小时，就坐下一趟客车回家。这一段时间，他老是回来的很晚，有时，还说要加班到半夜，太晚了，就找个旅馆在城里住一宿。太太有点疑心了。你知道，女人一疑心，准能找到点证据。

有一次，她拿着证据就问先生是怎么回事。

先生说："对不起，一个女孩爱上了我，我们一同坠入了情网。亲爱的，我没有办法。"

很快他们就分居了。先生也不用赶火车上下班了，就在城里落户了。

W君的妻子开始一个人带着孩子过日子了。挺不容易的，公司和教会的朋友都尽量帮她一把，有时，我们也邀请她带孩子到我们家玩玩，吃点便饭。她孩子爱吃比萨饼一类的东西，好满足。

有一次，我和她一道领我们两家的孩子到一个游乐场去玩。小孩子玩，我们俩就在旁边聊天。

我问她："心情好一点了吗？"

她说："还好，上帝给我力量，我能够带着孩子好好地活着。"

我问："那孩子们怎么样呢？"

她说："他们还不知道。只是打电话给爸爸，说想爸爸。"

我问："你不恨他了吗？"

她说："开始我非常震惊，伤心。但现在我饶恕了他。"说到"饶恕"两个字，她眼圈红了。

这件事就这么过去了。怎么也没想到，两三个月后，朋友告诉我说："老范，你简直无法想象，他们两口子和好了。"

我问："这又是怎么了？"

他说："W君太想孩子了，实在受不了了。问妻子可不可以回家看看孩子。他妻子当然说可以了，他就回来了。一看到老爹，两个孩子乐死了。"

他妻子愿意饶恕他。这一步，虽然很不容易，但她靠着祷告走过来了。

当然，两人还是看了牧师，看了心理医生，一起祈祷，互相饶恕。最后，就又亲爱起来了。为了表达对亲爱的亲爱，W 君还把屋子翻修了一次，周末不去加班了，在家里紧折腾。他手很巧，不到几个月，屋子里焕然一新。

然后，他们请我们去看新翻修的房子，我说："W 君，你手真巧，真能干哪。"

他转身问老婆："我是很能干吧，对吧。"

老婆笑答："当然了，你令我感到骄傲。"

骄傲后不久她就更骄傲了，又怀孕了，这个小三，是个男孩，老爹疼得就像老年得子一样。

2006 年 1 月 25 日上午 10:30

【网友评论】

范先生此贴就写了个宽恕的故事，来讲述人类美好的一面。怎么就有 ID 进来搞些恶心的表演，这些 ID 是不是反对所有美好的东西？是不是心理变态？

——ID 被封了

天天自顶帖加大量同党吹捧——特务的标志！自顶帖子到楼主这种地步就是无耻了！而且有大量你这类 ID 吹捧，就更无耻了，当然没有了这个，楼主的帖子怎么能占领论坛资源呢？你说是不？楼主和他的众多同党，有本事不自顶帖子么？不！没这本事！这其实就是特务的铁证！天天自顶帖加大量同党吹捧——特务的标志！

——西风冷

从猫眼充斥着打打杀杀的贴子就知道某些人缺乏宽容。

——iofree

丑化一下总统也没什么

批评国家领导人的权利，是公民的基本权利，这一点的确要从小教育并得到确实的保证。

昨天晚上，我正在看电脑。儿子说，老爸，我要上电脑，做作业。我说，你做呗，上你自己的电脑嘛。他说好吧，转身要上楼。我一想，算了，我歇一会儿，你上吧。他一上就上了一个多小时，一边看资料，一边听音乐。也不知道他从电脑的哪个地方倒腾出那些歌的。

我看够了书，来到他身边，问："你写什么啊？这么长。"

他递给我一张画了十个图的纸，说是画卡通。并问我："爸，酷吧？你知道他是谁吧？"

"布什总统，我当然知道啦，你当老爸是傻瓜啊？"

天哪！我儿子把布什画成什么了！小丑，还长了两个长长的耳朵，兔子耳朵，并且，一直竖着。

第一张卡通：长着兔子耳朵的布什说："我困了。"旁边注明：赞成布什总统的57%，反对的43%。

第二张卡通：布什办公桌上有一封信，布什眯着眼睛想，这是什么？

第三和第四张卡通是文字：信上说，布什先生，我是士兵，我死了。我不喜欢你，你为我们做了什么啊？你给美国带来什么啊？告诉你，你是一个特别坏的总统。

第五张卡通：面对一张3万亿的账单，布什自问，我干什么啦，怎么把国库里所有的钱都花掉了？

第六张卡通：布什不好意思地笑了说，我没有准备好对付新奥尔良的飓风。

第七张卡通：布什冷笑，我窃听了你们的电话，挺有趣的。

第八张卡通：是讽刺伊拉克战争的。布什眯着眼睛说，我让上千名士兵在伊拉克丧命，但是，我打开边界，让移民进来。下面还有一个万人坑。

第九张卡通：布什掉进了坑里，大声喊，我出不来啦，快来帮助我！而他的欧洲盟友，两个小人，则打着口哨弃布什而去。

最后一张卡通：布什继续大叫，完了！救我啊！

最可气的是这些图配的全是法文，除了 Mr. Bush，两个字，其他的我什么也不懂。

天哪！这就是交给老师的作业，并且儿子还有把握，老师肯定会非常喜欢。

沉思：总统并不享有免于批评的特权，他也没有任何权利拒绝接受公民的监督。一个美利坚合众国的公民，就是一个可以自由地批评国家领导人而不必担心受到任何迫害的人。美国的初中教育，就是这么真实地、实际地培育着公民精神。

2006 年 2 月 9 日

【网友评论】

这就是民主、自由吧？

——王的说

哦，原来公民精神是这样培养出来的！我尤其喜欢最后一个自然段的沉思。你懂的！

——howd

范老师这就是你的不对了，怎么能从小就培养孩子丑化国家领导人呢？这样的孩子将来怎么能毅然决然地回归祖国怀抱，报效国家呢？你得教他爱国家领导人，爱国。对不起，我忘了，先得教他爱党。

——风唤雀翎

总统也得撒尿吧

早上起来，看到剑影秋歌昨晚给我发了个短消息，说我的"漫画讽刺布什的那篇好"。这时，我儿子起床了，下楼，走过来对我（我在为他准备早点）说：爸，有人要跟你说话。我看了一眼，是剑影秋歌，就说：你去回答吧。儿子说：好吧。但你先跟叔叔说一下。于是，出现了下面对话：

范学德：我儿子要和你说几句话。

剑影秋歌：啊？

剑影秋歌：小美国鬼子？

我儿子（中学生，小美国鬼子）用中文打字，说：叔叔好。

剑影秋歌：嗯。

剑影秋歌：你好，你爸爸经常称呼你小美国鬼子。

剑影秋歌：呵呵。

小美国鬼子问老爸他要跟叔叔说什么，我说，就说你画卡通的事情吧。于是他对叔叔说：When I drew my cartoon, I thought about problems with Bush and recent news events and put them in a comedic dialouge and plot.（当我画画的时候，我考虑有关布什和最新发生的新闻事件，把它们放在一种喜剧的对话和情节中。）

剑影秋歌：你跟我说中文，好吗？我的英语水平臭得不行。

剑影秋歌：关于布什总统吗？请继续说。

剑影秋歌：说英文也行，临时拉到一个英语翻译。

小美国鬼子戴好了隐形眼镜后用中文打字说：我回来了。

剑影秋歌：嗯。

小美国鬼子：Do you have any questions for me？（你有什么问题吗？）

剑影秋歌：想听你说。

小美国鬼子：I drew my cartoon because in French class，we had an asignment to draw a cartoon.（我画卡通是因为在法语课上，我们有个作业要求画卡通。）

小美国鬼子：I was in spired to draw one on Bush.（我来了灵感想画布什。）

小美国鬼子：I feel that Bush is an incompetent leader and president.（我认为布什不是一个有能力的领导和总统。）

小美国鬼子：He is also a bad diplomat.（他也是一个手段圆滑的外交家。）

小 美 国 鬼 子：He is two face das can be seen by his contradicting policies and public speeches.（他是一个两面派，这可以从他矛盾的政见和公共演讲中看得出来。）

小美国鬼子：For example，Bush didn't sign the Kyoto bill but later created a bill that would supposedly help wild life in Alaskaand said that he fully wanted to help nature.Yet later he said he would continue to oil in Alaska.（比如，布什不签京都议定书。但是后来，制定了一条法规，来支持保护阿拉斯加的野生动物，并且说他很想帮助自然。而且后来他又说他将继续向阿拉斯加供油。）

剑影秋歌：嗯。

小美国鬼子：I felt strongly about Bush since he is our president and represents us. I as for one，don't want bad representation in the world.（我强烈地感到，自从布什成为我们的总统并且代表我们之后，我，仅代表我自己希望，他不要在世界上成为一个坏的代表。）

小美国鬼子：这就是我在卡通里要说的。That's all. 再见！我要上学了。

剑影秋歌：88

后面，剑影秋歌发表了一些感想，他对我说：

1. 由于受到不同语境的制约，我初步判断，小美国鬼子是个美国左派；

2. 以我个人的了解，布什总统的智商据说不高，但是他给人的感觉是很可爱。

这可以从所谓的种种负面消息中透露出来，比如，他在联大开会时，他会请教赖斯是否可以上厕所。新华社将此作为笑话转发。我作为一个中国人，看到更多的是布什作为一个普通人的谦虚，我们的领导人永远是正确的，就像老范你自己曾经认为的那样，伟大领袖怎么可能撒尿呢？

剑影秋歌给我讲了一个故事。有一次，一位领导来到本地的一家大型私有企业后，内急，要上厕所，其他人也想上厕所。但是我发现，厕所门被领导秘书们堵住了。于是只有两位主要领导先上了厕所。你看，领导上厕所如果也让其他人一起上，会透露什么信息？就是领导也是一个要撒尿的普通人，他怎么愿意让一个普通人看他在厕所内撒完尿后抖动手中的家伙，如果被人看到，他还是个领导吗？

剑影秋歌认为，在美国的民主制度下，不需要什么魅力型领袖。

最后，剑影秋歌总结道：由于我们所处的语境不同，我们看待问题的出发点就不同。不能说，我的观点就是正确的，但这起码也是我的一种看法。我也不认为小美国鬼子的看法就是错误的，他也是在表达他的看法。大概这就是困扰哈贝马斯的问题，不同文化、制度下的人们，怎么实现交流？大家都没错，但是讲不到一起，怎么办？重要的是交流，而不是谁说服谁。

剑影秋歌还认为，美国学生的确幸福，八年级就学会这么思考问题了。我们的学生，八年级了还在苦苦考虑今天的几何代数问题。

对于剑影秋歌的总结，我提出了一点异议：问题并不在于美国初中生就学会思考问题了，而在于他们即便是初中生，也真实地享有着自由地思考问题的权利，思想无禁区，如总统（领导）也是要撒尿的，这就是思考的自由。

2006 年 2 月 10 日

【网友评论】

感谢白玉楼网友的翻译。

——剑影秋歌

语境不同，看问题的角度也不同。

——白玉楼

我们的那些个领导，哪个看上去是会撒尿的？都是不食人间烟火的主。

——剑影秋歌

清朝皇帝撒尿的时候，一帮子小太监伺候着。

——最后的冷杉

我当年大学刚毕业，当了大学老师，对校长还是比较敬仰的。校长瘦瘦高高，戴着眼睛，很和蔼、很有学问的样子。可是有次和校长一起开了一个关于什么问题的会，时间很长，出来后就有幸和校长一起挨着小解。校长真的给憋坏了，估计是开会的时候水喝多了，又不好意思中途出来上厕所，这泡尿哗哗地撒了有五分钟。这件事留给我的印象太深了，十几年过去，依然历历在目啊！校长的一泡尿，给了我很大的教育，从此，我就不再有个人崇拜了，感谢校长。

——如洗

（看如洗文——范学德注）再笑喷一次。看来以后如果我很崇拜一个人，假若我还想保留对方在自己心目中的神圣地位，我就决不与他一起如厕。但如果我想打碎心目中的偶像，俺就找机会一块儿和他如厕。

——流浪欧罗巴

差点儿把我急死

星期三早上 6 点 40 分，我儿子离开家门去坐校车，出门前他告诉我："爸，我带手机了，到时候我给你打电话，你来接我。"我说："好。"儿子上高一了，平时不带手机，要是学校俱乐部活动晚了，他就带上，到时候打电话让我接他。

我看了一下他的时间表，今天下午，知识竞赛俱乐部活动，我 4 点 50 分去接他，然后直接送到网球俱乐部，5 点开始打球，两个小时。

都快到 4 点 40 分了，儿子还不来电话，我有点急了，就告诉女儿说，你在家等着，爸爸到学校去接哥哥。要是哥哥来电话了，你就说爸爸已经到学校去了，网球拍也带上了。

7 分钟后我开车到了高中。一看，儿子不在，于是，我就把车座放下，躺着舒服一点。可脑子里想起了点事：我回去，有人劝我小心点，说我被怎么怎么了，是玩笑吧？不管怎么样，我当成是玩笑，或者，我应该感到幸福……

我曾经写过一篇文章，题目是《别把自己当成个人物，或者一根葱》，没想到，我自己居然被别人当成一根葱了，而且由于是海外的，我应该是洋葱。我想着想着，笑了。

看表，都 5 点 10 分了，儿子还没有出来。他们俱乐部今天结束得怎么这么晚？平时都是很准时的啊？就这么，等到 5 点 20 分，我再待不住了。下车进到了大楼里。正门前的过道，没有他。我走到里面的过道，向两边张望。一个老师看到我了，问我："找谁，我可以帮忙吗？"我就说了。

她也觉得奇怪，就带我到学校的办公室，把我的情况告诉了一个工作人员，然后说声"别急"，就走了。那个工作人员也劝我别急，说，我广播一下，要是他在走廊里，会听到的。她马上广播了，但过了5分钟，还不见儿子的影子。

我问，可以用一下电话吗？她说，好。我打回家里问情况，女儿说："哥哥没有打回电话。"我让她打哥哥的手机。她打了，说："哥哥关机。"

我更急了。那个工作人员说，我帮助你查查。她查了，说，你到236和232房间去看看，如果他在学校，应该在这两个教室。然后，仔细告诉我怎么怎么走。

可我出门一转到走廊，就有点懵了，到底怎么转？一个清洁工看到了，过来问："先生，我可以帮你吗？"

我说，谢谢。请问到236和232教室怎么走？他连说带比划，把路给我指出来了。但我上楼后却发现，怎么也找不到232教室。就在这时，我又遇到了一个学生，他主动过来告诉我怎么怎么走，终于找到了。

两个教室都没有人。

下楼到办公室，再借电话，再打到家里。回答同上次一样。

我急得火冒三丈了。他能到哪里呢？突然想起，他会不会是跟伟涛一起到网球俱乐部了。肯定是这样，伟涛的母亲把他顺路带走了。于是，我跟那位工作人员说再见。她说："祝你好运。"

我开车走了。

顺小路开。停车牌挺多的，遇到就停下，看看十字路口的其他方向有没有车，没有，走人。在第三个还是第四个十字路口，我才看到了一辆车，我和它几乎同时到达。我让它，它也让我。后来，我挥手谢谢，先开了。

到了网球俱乐部，告诉前台的人，她说，你看看。我看了，伟涛在，但我儿子不在。我问可不可以借电话。"没有问题。"她笑了。于是，我第三次打回家里，答案一样。

放下电话，我急忙下楼，到网球场地问伟涛看没看到我儿子。他说，看到了，他到史蒂文森高中去参加知识竞赛了，7点钟回来。

我终于松了一口气。离开前，前台的人笑着跟我再见，祝我有一个愉快的夜晚。"祝你也这样。"我说。

6点50分，儿子打电话给家里，说他们比赛结束了，现在开车回学校。

7点多一点，我再一次到高中门口等儿子比赛回来。开车途中，我一再祷告，见到儿子可别发火，毕竟，下午看到了许多微笑，这么多的人主动帮助我。

儿子上车了。我问儿子怎么回事。儿子说："爸，我告诉你了，到时候我给你打电话。"我说："啊，天哪。儿子，你没说那个时候是什么时候啊！"儿子答："噢，对不起，我以为你都知道呢。"儿子说完，笑了，我的气也早就消了。

2006年12月2日

【网友评论】

于平凡处见和谐！

——芦苇丛

父亲的背影都是相似的。

——应县木塔

WaveHill：纽约销魂处

赶上了周末，又遇上了好天。苏桂村牧师说，我带你们去个好地方。于是，带上我和陈弟兄夫妇就出发了。

苏牧师是纽约新城归正教会国语部的牧师，我是今年年初认识他的。当时有一件事令我很佩服他，他在那个教会担任牧师快二十年了，是牧师中资格最老的，但是，当主任牧师（负责整个教会的事务）的位置空出来时，他却坚持继续当国语部的牧师，把主任牧师的位置留给了别人。他说，他最爱做的是在教会中教导上帝的话。

而这一次同他接触，我发现他情趣挺多的，今天，我们就和他一起去同乐。

我们从纽约闹市区开车出发，开了不到半个小时，突然，眼前一大片树林，啊，树林，我惊喜，又惊叫。车随路转，路在林中，林中树木或密或疏，树叶大都落下。残叶，挂在光秃秃的树枝上，在微风中轻轻摇摆。

终于，到了我们要去的好去处：WaveHill（波浪之丘），这是一个花园，在一片小山丘中，小丘略有起伏，故取名波浪之丘。

花园入口处在一条窄小的路旁，没有什么像样的建筑，里面只能停几辆车，我心想，就这地方，有什么好看的。

走进去不远，看到几棵大树，树很高，很粗，树皮是灰色的，发亮，好像河马的皮，而树的根部，则凸出好几个大块，如圆圆的山石，奇而不怪，从来没看到过这种树，看名字，一大串英文：……看了白看，一点也不懂。

继续前行，不经意间向左侧看，一片美景展现在眼前。眼前，一棵大树的叶子半绿半黄，一串串的果实，好像葡萄一样，红红的，垂在红绿之间。哈德逊河，在小丘的脚下缓缓地流，岸那边，一大片裸露的岩石垂直地矗立着，那灰色的，令岩石显得格外地冷峻。山岗上，树林绵延，林中，脱净了绿叶的大小树木，在灰蒙蒙的烟蔼中连成一体。树林上，有蓝天，半空中，几朵白云轻轻地游。

远处，依稀看到一处楼，小小的，一个巨大的铁桥，把哈德逊河两岸连成一体。

四周，只有几个人，静悄悄地走，相对而视，微微一笑。

说不出的宁静。

这是在喧闹的纽约。

苏牧师介绍，这原来是一个私人花园，后来，捐赠给了政府，成为大家都可以来坐坐走走的好地方。

我颇有感慨，这么美好的地方都奉献出来，让它属于每一个市民，这真是对大家的祝福。在我们家附近，也有好几个森林保护地，原来也都是属于私人的，但后来也都是奉献出来，让它们成为公共场所。

占地面积28英亩的WaveHill，可以说是一个名园，达尔文、马克·吐温、罗斯福等许多名人都来过这里。

我们去了一个花房，里面有许多的仙人掌。仙人掌长成各样的形状，开着各样的小花，就连它们身上的刺也不同，有的松软、有的坚硬，或黄色、或绿色、或褐色、或乳白色。

走进一个大厅，大厅里面，一些年长者，在一个华人的带领下，正缓缓挪动步伐，练太极拳。我们轻轻地打开门，默默地看一眼，又把门轻轻地合上。

苏牧师要请我们喝茶。一壶水果茶，另一壶茶叫什么名字，忘记了。这个餐厅里外都有座位。我们来到了外面，围着一个圆桌坐下。面对着哈德逊河水，拿起杯中温热的茶水，慢慢地喝。茶的清香，与空气的清香，融为一体。苏牧师让我谈谈对当代华人基督教发展的看法，特别是知识分子这个群体。

苏牧师、陈弟兄还有我，我们三人互相交换了意见，茶水，续了一壶又一壶。

时而，我眺望远方，云动，水也流，而阳光，则已经驱散了林间那层薄薄的灰色之气。

闭上双眼，销魂。

2006年12月3日

【网友评论】

上帝赐予人生命，去感受人生的喜怒哀乐，甜酸苦辣。好好享受这个过程，细细品味其中的奥妙。因为这种短暂的赏赐，只有一次。

——心无所有

俺可是冲着标题来的，哈哈哈，结果发现此销魂非彼销魂也。

——lrs3463

今晚来了两位重要客人

我刚把学网球的儿子接回家，就赶去女儿的中学，但还是晚了，他们的"爵士咖啡"晚会已经进行二十来分钟了。现在是合唱队唱歌，歌词是"我收到了圣诞老人发来的电子信件，他问我要什么礼物……"

她们唱完后，就下来了，和观众坐在一起。这时，学校乐队的指挥 Bill 上来了，他说："你们知道吗？我们今晚来了两位重要客人，她们在那里！"他的手指向了观众席。有两个女生坐在一个长条椅子上，一看大家转过头来看她们，大吃一惊。

Bill 说："你们都知道，她原来就是我们中学爵士乐队的，在乐队里，她非常棒。今年秋天，她到我们镇里读高中了，她现在是高一乐队的第一长笛手。我很生她的气，扔下我们不管啦。但我真高兴她今天晚上来了，我们为她而自豪。"

家长们笑了，同学们也都笑了，那个长笛手更开心，脸都笑出花来啦。

Bill 接着说长笛手旁边的另外一个女孩："你们都知道，她黑管吹得最棒。关于她的故事，半个小时也说不完，我最高兴的就是知道，她在高一的乐队中演奏黑管，也是坐第一把交椅，我们真为你感到自豪。"

我们随时欢迎你们回来看我们。在 Bill 讲话的过程中，大家一再为这两个女生鼓掌。吹黑管的女孩的脸上也笑出了一朵红花，在明亮的灯光下变得格外亮丽。

看到了这两张笑脸，我突然感受到了什么是尊重人的尊严。而教育，最基本的一个要素就是，学习尊重人的尊严，让人的尊严切实地得到尊重。

Bill 说："大家随便，可以吃吃点心，喝喝咖啡，再继续观看我们的演奏。"他的话还没有完，合唱队的一帮女生，就走到放点心和饮料的长桌子前，拿起纸碟子，开始吃点心了。也有的大人走过去，喝杯热咖啡。

在 Bill 的指挥下，爵士乐队演奏了三支曲子，有合奏，有独奏。演奏结束后，Bill 一再对家长说，感谢这些孩子，他们演奏得非常美好。也感谢各位家长的支持，没有大家的帮助，就不会有这只乐队。

这时，他请给今天晚上活动帮忙的家长站起来。点心、饮料，桌子上的各种节日小摆设，都是许多家长共同准备的。我们家今天晚上烤了一个蛋糕，是我女儿烤的。我们买了一盒蛋糕粉，我女儿就按照盒子上的说明，一步步把蛋糕烤好了。

最后一个表演是合唱队唱圣诞快乐歌。合唱队的学生们到台前一站好，指挥就说："今天是一个非常特殊的日子。"说完她停顿了一下，看同学们，大家也纳闷。接着，她满脸笑容地对大家说："今天是玛莎的生日。"她手指着玛莎："玛莎，祝你生日快乐。"

玛莎十分惊喜，捂着嘴，开心地笑。指挥转向观众席说，让我们一起祝玛莎生日快乐。她一挥手，台上台下，小孩大人都同唱一首歌：祝你生日快乐，祝你生日快乐……

我又一次深深地被感动了，切实地尊重人的尊严，这贯穿在整个中学的教育中，这些美国公民们的人格尊严，就是在这块基石上培育起来的。

2006 年 12 月 6 日

【网友评论】

美国警察很以人为本，黑人举一下手中的书本就开枪。

——1254236

乍一看标题，以为是有领导、专家来访。看完了全文，才知道，在美国的中学里，究竟谁是"重要客人"，谁会令学校"感到骄傲"。

——howd

以前也有过集体给别人过生日的经历，可是每次到了唱生日歌的时候，大家好像都不怎么热情，只有看着蛋糕的眼神是发自内心的。

——风唤雀翎

尊重别人的尊严也是做人的最起码的素质。

——王的说

高中亚裔俱乐部的"文化"活动

自从今年秋天我儿子上了高中后，各种俱乐部的活动，就占据了他很多的课余时间，每天3点多放学后，几乎就是各种俱乐部的时间，有的要忙到五六点钟，甚至十来点钟。结社自由，就这么自然而然地进入了他的生活中。虽然很忙，但他很开心。

亚裔俱乐部就是他最喜欢的一个，我问他："你们同学喜欢亚洲哪个国家的文化？"

他说："日本。"

我问："为什么啊，难道他们不喜欢中国？"

儿子说："其实大伙对中国知道的不多。"

"那他们总该知道长城、故宫啊。"

儿子答："爸。大伙喜欢活的（文化）。谁会天天去看长城、故宫。可是，我们天天想看日本卡通。你看，美国电视天天放日本卡通，小孩子都喜欢。"

他说的是实情，只要有点空闲时间，一打开电视，他就想看日本卡通。不但他这样，他妹妹也是如此。平时上学，早上都得喊他们起床。可一到了星期六早上，本来是睡懒觉的时候，但是，不用我喊，一到7点半，他们俩就自动起来，下楼，开电视，音量调小，安安静静地看日本卡通，眼睛看得都发直了。

到图书馆借书，只要有流行的这类日本卡通录像带，他们都借，看了一遍又一遍。在书店中，日本卡通的漫画，摆满了好几个书架，一些青少年站在前面，一本接一本地翻。

就连画画，他们画的也是日式卡通，大大的眼睛，瓜子脸，小嘴。上次回国乘飞机，兄妹两人都带了纸和笔，在飞机上看电影看累了，就画画，画日本卡通人物。

到东京转机的时候，他们在飞机场的免税店前一下子就站住了，那里正卖日本卡通画报。我儿子很少主动说买什么东西，那次却说："爸，我们买两本日本卡通书好吗？"

我说："好。等我们回美国时再买。"

不幸，回来转机的时候时间太短了，没找到那个书店。

他们亚裔俱乐部组织了许多活动，比如，参观日本在美国的商场（不好意思，华人商场不大适合参观），去吃韩国饭。最近，他们准备放亚裔影片，俱乐部的成员各自提名，我儿子提名《卧虎藏龙》。上个星期，俱乐部的几个头头看了十来分钟后决定，就看《卧虎藏龙》了。

我儿子说，他本来想提名《英雄》，可怕大伙看不懂。

我说："还好，你没有提名《大红灯笼高高挂》。"

他不明白我的意思，继续说："其实最好玩的是那个什么血案啦。啊，《一个馒头的血案》。对，就是它，可惜没有英文的，要不，一看它，大伙肯定得乐死。"

这个俱乐部的主席是韩裔，正上高四，他曾经去中国学中文，到广州，住在一个富人家。他说，他住的那家房东领他去吃好东西——猴头、蛇，把他吓坏了。我儿子告诉他，那是贵的东西，他把你当成重要客人了，请你吃好吃的。

韩裔说，后来他明白了，但还是不敢吃这些东西。

他还说，中国人爱打麻将，哗啦啦地响。他说，他们蹲在路边下象棋，旁边还围着一大圈人，挺有意思的。

最拿得出手的关于中国文化的活动，是吃中餐。他们集体去过中餐馆，吃自助餐，反映还不错。这我可以理解，因为自助餐的那个口味是适合美国人的，有点甜。

2006 年 12 月 6 日

【网友评论】

保密，怕好东西让老外学了去。你想想看，很多没有先进文化的国家都搞得比我们好，如果再学了先进文化，那还了得。

——倚栏读简

不要说外国人，连咱们中国人，真正了解中国文化的，又有多少人？中国文化目前的两难：与传统脱节、与世界的主流脱节。前者却又是"打断的骨头连着筋"，后者则"欲拒还迎"，不知如何是好。

——李杜韩

目前，在中国，卡通，基本是看美国和日本的。有次我在哈尔滨秋林商场一个橱窗见围了一大帮人有老有少有男有女，天气也不太冷也就零下二十多度吧，有点风。我还以为是什么事，拼命挤进去一看，哎，见鬼了，原来是在播放早已放烂了的最早几期的美国卡通《猫和老鼠》，人群还不时哈哈大笑。我也想当当笨蛋驻足看看，无奈的确太挤了，一拥一拥地不习惯，只好开路……

——不禅和尚

请了几家东北老乡

早上 8 点来钟，一下楼，我就开始准备下午请客的事，先把腌了一宿的鸭子放进烤箱，烤它两个小时，把油烤掉，再蒸。然后，计划别的菜，随手拿一张纸写下菜单：刀鱼炖豆腐、五花肉炖豆角、清炒苦瓜、清炒茼蒿、蒸肉馅油豆腐。什么汤好呢？排骨萝卜汤吧，清爽。先把排骨用热水滚上 5 分钟，倒掉水，加清水重新慢慢地炖。菜不求精，但求健康，量大。

我们的朋友小李得了乳腺癌，治疗基本结束，大家凑到一起，庆祝她打败病魔。小李是我们老乡，因此，这次庆祝，只请了四家东北人。其中洪兄一家，只能算是东北人的亲戚，将近一年前，他妻子也得了乳腺癌。我事先通知大家，这是 Pot-luck（聚餐），你们都带上一道拿手菜。

准备期间，我还出去看了一趟女儿唱歌，上了几次网。下午，妻子和儿子女儿一起，在门口装圣诞灯，喜庆点。

3 点半，几个菜全做好了，怕凉了，打开烤箱，温度调到 170 度，然后把它们都放进去了。

说好了，Pot-luck 4 点开始。但第一家到达时，已经是 4 点 40 多了，最后一家，快到 5 点半才到，进门就说对不起。哈哈，不准时，是咱们中国人的习惯，你们要是准时了，我倒不习惯了。

小李来了，不但带了好几个菜，还给我们家带来了一大摞子的碟子，她说她特别喜欢瓷器，看到又好又便宜的，就想买，买了一大堆，放在家里。她说，我也用不着，就给你们家用吧。

拍两下巴掌，宣布聚餐开始。今天是咱们东北老乡聚聚，庆祝小李康复。我妻子买了一束鲜花，献给小李，祝你快乐。小李很开心，说："鲜花啊，太感动了！"

　　我们一起作一个谢饭祷告："主啊，感谢你赐力量给小李，让她顺利地完成了治疗。求你继续保护她，医治她，赐给她力量和平安。"

　　一共来了 10 个大人，9 个小孩。

　　打开了一瓶香槟酒，庆贺。又打开了一瓶日本酒，还是庆贺。香槟是朋友今晚带来的，日本酒是朋友以前送给我们的，一直没开。

　　菜摆满了厨房的柜台，大家自己照顾自己，想吃什么拿什么。

　　小孩子吃完了就打游戏机，上楼跑来跑去，猫吓得赶快躲起来了。后来，两个小家伙要和猫玩，我和他们一起找，楼上、楼下和地下室都找遍了，也没找到。猫虽然好奇，但不喜欢热闹。

　　女性们围着餐桌边吃边聊。永恒的话题：孩子。

　　我们几个男士们到了另外一个房间。没有茶几，酒杯和水杯都放在地板上。男人的话题：政治与宗教。

　　我从两岸三地回来不久，他们问我看过香港、台北和北京的感想，我说："台北好像最没活力，北京建设似乎最快。香港最西化，文明程度北京最低。"

　　赵兄说："不想回大陆，人际关系太复杂了。"

　　我接上话茬说："我回国别人也老问我同样的问题，在美国的最大感受是什么？我总是回答，对我来说，无论是当官还是做学问，都不如国内的朋友。但是，在这里，我享受到了人的尊严和自由。"

　　赵兄讲了一个敏感的故事，是在中国内地的一个案子，甲把乙打死了。乙的家里人怎么告也告不赢。后来他们通过关系找到了上面的一个人，那个人挺正直的，就管了。这样，那打死人的家伙才被法办了。

　　大家嘀咕，这要不是遇到一个好人，那人就被白白打死了。

　　赵兄接着说："美国警察也不是好东西。有一次一个美国警察告诉我，要是犯事遇到警察了，你千万别往人少的地方跑，哪里人多，你就往哪里跑。"

　　大家议论反腐败的事情，说："无论到哪里，这都是政治艺术。"

　　我对两位妻子得了病的先生们说，一定要鼓励她们看到希望，相信上帝的爱不会离开她们，上帝一定会给她们平安、力量和喜乐。

洪兄信主时间不久，他说："最近有些困惑，好像上帝有时候也不听我们的祷告。"

我说："当然了，如果我们的每一个祷告都按照我们的愿望实现了，那我们离魔鬼大概就不远了。信仰并不是有求必应。"

王兄说："祷告其实就是自白，自己对自己的另外一个自我说话。"王兄不是基督徒，但支持妻子和孩子去教会。不过，他没跟着去，留在家里洗衣服。

我说："祷告是自白，也是对话，和那一位对话。"

王兄说："对于我来说，最困难的就是天堂，我在这个世界上好好生活就够了，为什么在乎天堂地狱。"

我说："是啊，假如只有一个世界，假如我们死了就一了百了，那的确是这样，这个世界上好好生活就够了。"

……

就这么聊，一直聊到 10 点多了大家才说再见，外面，明月当空，大地一片雪白，圣诞灯光明亮。

2006 年 12 月 10 日

【网友评论】

他乡遇故知，这样的聚会，真是让人艳美。说到北京的"文明程度"问题、中国的"人际关系"问题，我感觉这些年还是有长足的进步。希望我们中国的每个地方，不仅硬件条件越来越好，"软实力"也能强大起来。

——howd

"美国警察也不是好东西，要是犯事遇到警察了，千万别往人少的地方跑，哪里人多就往哪里跑。"联想一下以前看过的美国电影，好像依稀明白了这句话的意思。美国警察上街都带着枪，人多地方他们不敢开枪，怕误伤。人少的地方顾虑也少了，估计真敢开枪。管你是抢劫了还是撒酒疯呢，先撂倒再说。

——风唤雀翎

这种好事竟叫我遇上了

有些记忆注定要伴随你一生，这件事就是这样，都过去两年了，但我一想起来，还好像就发生在昨天一样，画面清晰可见。

那是发生在前年晚秋的事，我要去德国巡回布道，两个多星期。走前，家里遇到了很大的麻烦，那几天晚上，我只能睡四五个小时的觉，精神压力非常大。

临行的前一天晚上，10点多了，我跪在窗前祷告。

那天的夜光格外冷峻，从高天上一缕缕地射下来，穿过灰乎乎的树叶，落在灰乎乎的草地上，微微发亮的灰色，把大地和邻居家的房子，都罩进了清冷的孤独之中。

我求上帝保守我家平安，也保守我这一次的福音之旅。

第二天上午，道真姐开车来到了我家，她要送我去机场。她问我家里的情况怎么样了？我就把情况如实地告诉了她。她说："学德弟兄，别担心，既然是上帝带你去德国传福音，那你就放心去吧，把一切都交给主，他一定会负责你和你们家里的一切。让我们祷告吧。"

坐在她的车里，我们共同祷告，然后，道真姐就送我去机场了。到达后，我们彼此祝福，然后我进了机场大厅。

我对办理机票的柜台小姐说，能不能给我一个靠着窗户的位子？

她说："好，我试试看。好，这里正好有个位子。"

"谢谢你。"我看了看位子的号码：31A。很不错，我心想，飞行过程中我可以靠着窗歇一下了。这几天太累了，我需要休息，到达德国的当天晚上就有布道会。

从芝加哥飞到德国的慕尼黑，需要 7 个多小时。

一上飞机，我就找到 31A 的位子坐下，靠着窗闭目养神。不到五六分钟，一位女士过来，微笑着对我说："先生，对不起，这是我的座位。"

"哦，不会吧。"

她笑了："是我的。你看，31A。"她把票递给我，我一看，正是 31A。

难道我错了？我拿出自己的票一看，傻眼了，我的也是 31A，和她的一模一样！

这些年，我坐了上百次飞机在世界各地飞来飞去，但还从来没有遇到这样的情况。

就在这时，空姐走过来了，她把我们两人的票拿去，说："对不起，请你们等一会儿。"

我们等了不到 5 分钟，空姐又回来了，她对我说："先生，您可不可以跟我来一下？"

她把我带到前面（这样，就没有人能够听到我们的谈话），对我说："先生，对不起，我们的电脑出了点问题，给您找麻烦了。你愿不愿意换到前面的商务仓，17E。"

我说："好，当然没有问题。"

她又说："那我去帮助您把手提包拿到前面。"

我说："谢谢，我自己来。"

她说："非常感谢。今天实在对不起。"

我在 17E 刚坐好，马上有空姐来给我倒水、斟酒，上一道道精美的菜，还有鱼。我沉醉在惊喜中，不断地默念三个字：感谢主。

2006 年 12 月 16 日于芝加哥

【网友评论】

有感恩的心，才有感动后内心的宁静。

——澹宁居士

老范的文章读起来感觉清新。

——无逸斋主人

好文。学德兄确实是把生活作为一种体验，这也许是信教的缘故。怀着一种感恩的心，来看待世界，就显得世界更美好更有趣味。

——李三来也

一树会飞的黑花

我开着车在地上跑，鸟儿在空中飞。前方，邻居家的草坪上，犹留残绿，今年冬只是略微寒冷，雪不多。一棵孤树，硬朗朗地挺着，不带一片绿叶。它的树干，树枝，全都黑乎乎的，仿佛一个赤裸裸的硬汉，在灰蒙蒙的气息中，凝望着惨淡的长空。

几百只麻雀，站在一棵高高的杨树上，仿佛一朵朵黑花。忽地一下子，黑花全飞了。但这些黑花还没有飞出几十米远，忽地又一下子，在空中掉过头，又飞回来了，一朵朵地落在了杨树上，一树黑花，又突然开放。

满树的鸟儿，满树的花。

黑色的树，黑色的花。

黑色的树枝在冷风中轻轻地动，黑色的花儿在枝头纹丝不动。

我的心为见到这幅奇景而激动，动个不停，一直到学校，二十多分钟后，我还在心中评点这一树黑花。

给车子加了 15.14 加仑的油，一加仑 2.199 美金，一共花了 33.29 美金，包括 2.199 美金的税金。加油站的广告上写着，牛奶，大减价，1.99 一桶，一桶一加仑。

开车回家。

刚过铁道，我惊呆了。

几百只麻雀在半空中飞来飞去。

路边，稀稀拉拉几户人家。前方那家，很大的草地上，矗立着十多棵大树，树干粗壮，得两个人才能抱过来，而树枝，则像老人的手指，布满了皱纹，弯曲着伸向了半空。也许是老树的关系，它们的黑色，分明多了几多沧桑，几分苍凉。

百年老树。

不经意间，我的头转向了老树。怎么可能？这怎么可能？每一棵老树上，都站满了一只只小麻雀，一个树枝，就是一串花。一棵大树，就是一树黑花在怒放。那黑花连成了一团，如敞开的黑色锦缎，在这锦缎中，老树凝重，新花轻柔，而那神秘的黑色，把这一重一轻，一静一动，连接成朦胧的一体。

这许多的黑树，许多的黑花，许多的神秘。

空气是灰色的，流动着谜。

想到了一句老话：不要为生命忧虑吃什么，喝什么；为身体忧虑穿什么。生命不胜于饮食吗？身体不胜于衣裳吗？你们看那天上的飞鸟，也不种，也不收，也不积蓄在仓里，你们的天父尚且养活它。你们不比飞鸟贵重得多吗？

脑袋里蹦出两个字：源头。

又想到了水，什么是涌流不息的活水？那是与泉源相通的水，哪怕它在最初只是涓涓细流。

生命的源头在哪里？

生命之花也是黑色的，肉眼看不到那生命之源。

2007 年 1 月 11 日晚 10 时

【网友评论】

思考自由者在禁锢之中，无思者自由地飞翔。

——麦子守望者

与生命的源头相连接的人，在真理中获得自由。

——visitorhm

我的讲话怎么被录音了

这件事发生在去年春天。那时，我和一位朋友正坐在车里，要干什么来了，忘了。反正就是两人正说着话，他随手打开了车上的收音机，我一听，大吃一惊！这不是我的声音吗？怎么会呢？再仔细听，百分之百，是范学德这家伙的声音。怪了，我早上说的话啊，怎么被录音上了，并且在这里播放？

我直摇头，不理解。问开车的兄弟，怎么回事？

没什么啊，那不是你早上的讲道吗？

是啊，可它怎么到电台上了？

原来是这么回事：这是一个大学城，在美国中部，有些中国留学生，但不太多。他们成立了一个教会，教会中有一位弟兄，对广播很感兴趣，就建立了一个小电台，播送些关于中国的消息、音乐，还有福音。这个电台，覆盖的地区不大，好像不到一百英里。

那天早上我在教会的讲道，被他们给录音了，紧接着，他们就播放了。这位兄弟解释说，有些朋友，由于种种原因，有时没有来教会，但他们对教会的信息挺感兴趣的，打开收音机，就听到了。

下午离开这个大学城的时候，送我的李逸牧师说："我们绕一下，我带你去看一个地方。"

"什么地方啊？"

"我们的电台啊。"

我正想看看我的声音是怎么播出来的，于是欣然答应："好哇，去吧。"

车转了几个弯，来到了一个小山坡上。坡上有几处房子，都是小平房，房子围成了一圈，好像四合院。"这就是你们的电台？"我指着这些房子问。

李逸笑了，说："我们哪里有那么多钱买这些房子。那，电台就在那个房子里。"

那只是一间房，在一排房的角上。不知道大脑是怎么发挥作用的，那一刻，我联想到了过去在中国农村看到的小变电所。

我不敢相信这就是电台所在地。

李逸说，就这么大了。他们用电脑制作，做好了节目传过来，就放了。今天很不巧，管这个的弟兄不在，钥匙在他手里，我们进不去了。

没关系，我说，反正进去我也看不明白。

几个月前，有人告诉我说美国有多少多少家电台，其中，又有多少家是个人或者几个人办的。反正你想办，就办呗，这是公民的权利，言论自由的一部分。

就是这么一回事，法律上宣告你有言论自由，就用具体的措施保证你的自由得到实现，或者，更准确地说，不能用具体的法律和规定来限制你实现法律所确认的自由。

平时开车，我听的都是私人电台。也许，说它们是非政府电台，更准确些。一家是慕迪电台，慕迪是我的母校，它那里有好几个节目我都很喜欢听。另一个是关注家庭问题的电台。还有一个就是礼拜天早上的讲道和它的音乐节目。

另外一个电台叫 KL，翻译过来就是"王之爱"电台，它主要播音乐，爵士音乐，很棒。有一首歌里的一句歌词我特喜欢："主啊，你把我的眼泪捧在你手中"，每次听到，我都深深感动。还有一首是祈祷的，大意是这样，"主啊，求你告诉我我是谁，你是谁？你为我做了什么，我要为你做什么。"

有几句词我没有听清楚，但那结论我明白了，就一个字，爱。也可以再加两个字："神之爱"或者"神是爱"。

2007 年 1 月 18 日

【网友评论】

我年纪不大，但看了半年多楼主的文章，很是佩服，先生辛苦了！

——怒斩

老范大哥的帖子看了后，让人不想干坏事，可在某地你要不会干点坏事，基本上就是个窝囊废。苦啊！（最后二字请用京剧老生念白）

——应县木塔

广开言路，美国政府就不怕老百姓知道他们腐朽的本质吗？

——流水成溪

按照礼单来送礼

我们有位多年的好朋友，他们的女儿要结婚了，我们想送份礼物庆贺一下，但不知道送什么好。给钱，又太俗气了。问女孩的母亲，你女儿喜欢什么礼物。她客气一番后说，你到店里去看看吧，她想要的东西都列在那里了。

那个店是什么来着？Kohls 还是 Jcpenny，记不准，肯定是其中之一，这两个店都是中档的店，东西不太贵也不太便宜。

我们到商店后，直奔厨房用具那个部门，找到了柜台前的小姐，说我们要买礼物，礼单已经在这里登记好了。她问过我要结婚的女孩子的名字，然后就上电脑上查。查到了，然后把礼单印出来，大概有三四页，你们慢慢看，小姐说。

那位新娘要的每一个礼物，都明明白白地列在单子里：锅、盘子、花瓶等等。每一个礼物，是哪种牌子的、什么商标、在商店里的标号、价钱，都标得一清二楚。仔细地从头看到尾，最贵的礼物一百来美金，最便宜的，三十来元。

有的已经有人买了。我们只能在剩下的还没有人买的清单中挑。挑来挑去，挑了一份八九十美金的礼物，是花瓶。我们到货架上瞧瞧，那东西挺好看的，就要它了。

回到柜台，我们填好单子，刷信用卡，签字，事情就完了。服务员要我们到包装礼品的地方取货，我们去了。卖货的大妈问我们喜欢什么颜色的礼品袋，还有包装纸。婚礼，得挑个吉庆的颜色。在一大排礼品袋和包装纸面前，我们看了看，选了一个喜庆的。花了四五美元。另外算钱。

卖货的大妈又问我们，是我们自己带走，还是由店里送到新娘的家中，商店负责送礼品，没有问题。

"要加钱吗？"

"是的，邮寄费得你们付，对不起。"

"那就不要了，对不起。"

客气完了之后，我们拿起包好的礼品回家了。几个星期后，参加婚礼时我们亲手把礼品送给新郎新娘。又几个星期后，我们收到了一个小信封，是新郎、新娘写的，感谢我们参加他们的婚礼，还有礼品。愿上帝祝福你们。

新郎、新娘，愿上帝也祝福你们，我在心里说。

2007 年 1 月 19 日

【网友评论】

呵呵，国人有时抹不开面子，所收到或所赠送的大多数是一些比较精致的废物。摆那里吧，无用又占地方；丢了吧，又有点可惜。鸡肋呀。大概老外喜欢说 1-1=0，国人喜欢说 3+2-5=0，比较来得委婉，又显得有智慧，同时也显得很无聊。开门见山多斥为鄙俗，绕山绕水才显得有内涵。简单就是智慧，可大多数是把简单搞复杂的天才。

——无偶有独

坦诚得让人内心宁静……

——澹宁居士

就这么过年

上网聊天，网友问我在美国过了几个春节了。掐头算了算，天哪！16个了！去年不算，我是回大陆过的年，扣除，还剩下15个。真不敢想象。今年的大年三十正好赶上了星期六，周末休息，可以轻松地过个年了。

一大早，我就给自己找气。上网，在"猫眼看人"上写帖子，说了点真话，也就是一点，很不幸，敏感人物、敏感话题都叫我赶上了。结果，贴上一个帖子，锁一个；再贴，再锁。据应县木塔兄观察，我有个帖子被删之时，正是大陆刚刚过大年三十之际。因此，那个帖子就成了新年第一锁。听他这么一说，我还高兴了，大陆这一年里要锁多少贴子啊，我竟占了第一锁，不简单。不过，我这个纪录至今还没有得到官方或者民方的证实。

我不生气。大过年的，要选择高兴，今天是好日子。

"爸，过年好。"

"儿子，新年快乐。准备一下，马上送你打网球去。"

回来，做菜。今年是安文仲和李丹夫妇请客，他们夫妻俩又实在、又厚道。我做了一道酸菜炖肉，料是出口到美国的"东北酸菜"，一磅七八毛钱。炖了半天后尝尝，味道还是不到家。看来，甭想在美国吃到老家的那种酸菜了。还烤了一个年糕，加豆沙，加红枣，不加糖，健康。

4 点半赶到小安家，他们正在厨房里忙活。天哪，七八道大菜。"太多了！太多了！"我一再对李丹说。别人还会带菜来，你们弄得太多了。李丹说："不多，不多，大伙吃高兴就好。"

晚上有四家要来。

我和面，小安弄馅，准备包饺子。大家来了，一起包。

那一边，放着春节晚会的录像，看了几眼，缺乏忍耐力，不看了。包饺子也需要专心。

7 点钟开饭。摆了一大桌子的菜，酱牛肉、东北凉粉和糖醋苦瓜，最对我的口味。果酒、香槟酒、美国啤酒、中国啤酒，随便喝。

没人劝酒，有人举杯："嗨！新年快乐！"

"新年快乐！"

边吃边聊。说到了什么叫幸福："秘诀不在于接受，而在于付出。"

饭后，李丹给每个孩子一个红包，压岁钱。打开一看，5 美金，新票。太多了！太多了！大家都说："一美金就足够了，意思意思，叫他们知道有这么回事就行了，中国传统。5 美金，实在太多了。"

李丹说："不多不多。"

晚饭后，孙伯伯看春节晚会的录像，孩子们到楼上看美国录像。我们这群中年人围着桌子吃水果，嗑瓜子，继续聊。不知怎么的，说着说着，竟然说到了人生下半场应该如何过？

我顺便看了几眼晚会，不明白那些观众怎么能够那么努力地笑？合作得很好。有个女歌星唱《报答》，我摸摸心跳，还是没有加速。

不看了，今晚吃的好东西太多了。

11 点半回家。给国内打电话拜年，打不通。上床睡觉。睡前读《世界观的故事》。作者曾经是美国总统尼克松的亲信，因水门事件而入狱，在牢房中成了一个基督徒，他说："真正的基督教信仰是对所有现实的理解与看法，它是一种世界观。"这话说得不错。祷告，感谢主，在过去的一年中，他恩待了我。

第二天，美国的大年初一，起大早，上教会，唱歌，祷告，听牧师讲道。下午，看小孩子表演节目，女儿跳敦煌舞，大喜。晚上，教会聚餐，看大人表演节目，儿子跟叔叔说相声，我的看点是儿子的中文是否地道，结果还可以。年，就这么过了，蛮开心的。

2007 年 2 月 15 日

【网友评论】

祝范先生新年快乐。

——mitchel

这篇文章够味，至少顶十次。老范数着，少一次罚五次。一言既出，"死"马难追。

——马多

这小子推销得让我掏钱也舒服

春节前有天晚上，下了场中雪。但我事先就跟车行预约好了要修车，于是，第二天上午 10 点 15 分，我还是准时把车送到了车行，作 9 万英里的例行维修。

车开了快十年了，里程累计 8 万 5 千多英里。家里的两辆车都到这间车行维修，第二辆车给了点优惠，打九折，算下来，3 百 50 多美金。

我把车钥匙交给了修理工后，柜台经理跟我说："晚上 5 点可以修好。"

我说："那我需要车回去。"

"好。"

过了不到 5 分钟，一个小伙子进来了，说："走吧。你家在哪里？"

我一看他要送我回去，就说："对不起，我需要一部车，自己开回去。"

柜台经理说："好，请等一会儿，车就来。"

10 分钟后，车来了，一辆大车，开车的老先生有五六十岁。他说："我送你到取车的地方。"

上车。开车。到了。我笑了，两地距离不过二百米。办公室前，老先生快走两步，为我开门，我说："不，您先进。"

他说："不可以，您是客人。"

我进去后，一小伙子把我的驾照复印后告诉我："等一下，车一会儿就来。你要不要喝瓶水？"

我说："谢谢，不用。那咖啡呢？也不用，谢谢。"

"噢，我们这里的咖啡真的很不错，你不想试试？"

"不。谢谢。"

这是家租车公司。修车行和他们有合同，我用车，不需要花钱。

等了半个小时车还没有来。小伙子三次跟我说对不起，说今天天气不好，车少。第四次，他说："让你久等了，真对不起。你是否在意我们把你送到你们家所在的那个镇取车，我们公司在那里也有一个分部。我会派车送你去。"

两个镇之间有四五英里吧。

送我去的小伙子挺年轻，用的是他自己的车。他为我开了车门，关上。然后，他坐到了驾驶员的座位上。车一开，我们就聊起来了："你这车挺新的啊，好车。"

他说："是啊，我刚买不久。只有两万英里，我占了个大便宜。"

"你多大？"

"二十三。"

"才毕业？"

"是啊，刚从密西根大学毕业不到半年。"

"你们租车公司有生意吗？"

"当然。生意很不错。"

"还有人租车？"

"不相信吧。很多。"

"为什么？"

"有的就是想玩玩新车，有的是想开开名车，还有的度假，不想开自己的车，就租车了。今天办公室那几位，就是要到商场逛逛的。"

"这是你的第一个工作？"

"不，第二个。第一个芝加哥城里，我不喜欢，就找到芝加哥郊区了。"

"你是否在意告诉我你个人的收入，我只是好奇。"

"噢，没关系。年薪3万5千，不包括分红，这里分红很多，主要根据你的销售额。但这里年薪涨得很快。你看我们那个经理，就是招待你的那位，工作一年半，就6万多，不算分红。我要是在这里工作两年，也有希望挣那么多。"

"你是学什么的？"

"市场经销。"

"真不好意思，这样的坏天气，还劳驾你跑一趟。"

"没关系，这是我们应该提供的服务。和你聊天，很开心。"

这小伙子的服务，热情，诚实，也令我很开心。

下车前，小伙子跟我说，你想不想买一个保险。不过，你不是必须买的。但是，你要是买的话，无论车子出什么问题，都不用你负责。今天天气不好。买了，心里会觉得踏实一些。还不到12美金。"

看着他一脸的微笑，我也笑了。

2007年2月23日

【网友评论】

美国小伙子不错，朴实，也会做生意，生意做得让人舒服。

——剑影秋歌

老范真是多产呀，佩服。我不行，对以往心有余悸呀。

——肖申克

老范的文章不看吧心里痒痒，看了吧心里馋得难受。

——MOH

美国商人真单纯。好喜欢。我们这搞营销的就坏多了，越是狡猾的升的越快，我工作时每次和他们打交道都要当一万个心，一个个比狗鼻子还灵，让人觉得很急功近利，由此工作中的乐趣也少了很多。其实中国人为什么要搞得彼此间相处那么累呢？

——goneng

从倒车镜中看

儿子上高一了，星期二早上是基督徒运动员俱乐部活动时间，7点钟就要赶到学校。我提前十多分启动汽车，出家门，上大路，转小路，拐了几个路口，眼看着前面就是小镇的中心了。

小镇的中心被21号公路隔成东西两片，我是朝着西边开，西边的天还有些昏暗。快到21号公路，不知道为什么，我向倒车镜看了一眼。

啊！如此美丽！暗红色的云，把灰暗的长空画为背景；两行路灯，橘红色的光，笼在多边形的灯罩中，一束连着一束。光撒到地上，在地面的白雪上消融为白色，一缕淡粉色的轻烟，在高楼的边上慢慢地飘，一边飘，一边扭动着胖瘦分明的身体，空气似乎都变得很沉重，一块一块地正在下垂。这一切，一下子都呈现在巴掌大的倒后镜中。

就在这时，十字路口的指示灯变成了红灯。我停车等绿灯。

前方，天色依旧灰暗，空地上盖着白雪，雪堆沿着马路边高低起伏，对面的橱窗里，彩灯下的娃娃笑嘻嘻地看着我。路边有两个人，一个背对着我向前走，一个面朝着我跑过来。

我又一次盯着倒后镜看，暗红色的云中出现了几道白色的亮光，发亮的路灯拖曳着细细的阴影，高楼变成了一幅画，画面上贴满了一个个小方格子。一个女性牵着狗在街道边上溜达，一个男人打开了停在路边的车门。

绿灯亮了。我继续开车。把儿子送到学校后我马上往回开，想仔细看看这片朝霞。但是，什么也没有了。东方，灰色的云阴郁而又沉重，街灯熄灭了，高楼十分厚重，刚才没有看到的灰乎乎的树枝，稀稀拉拉地插在空气中。空气中有点汽油味。

难道我刚才什么也没有看到？是幻觉？不可能。我是看到了，十分真实，红云、白光、高楼、阴影，融成了一幅只有梵高才能画出的美景。

回到家中还在想。

那美景只存在于那一瞬间。我只能在那一瞬间看见。错过了，就永远也看不到。看到了，这就是相遇。

我只能在这个天地中与这美景相遇，只有当我有心，并且这颗心随时准备敞开，我才能拥抱这相遇。拥抱了，这美景就与我的心境融为一体，滋润着我的生命。

这就是美好，这美好将在我心中存到永远。

2007 年 2 月 24 日

【网友评论】

范先生想到了什么？

——右派愤青

珍惜每一个美好的瞬间。

——范学德

陶醉于远方的风景因为那里的美丽，沉溺于一幅作品的意境因为那种韵味，人生感受属于每个存在者，不论美丽快乐苦痛悲切。当一个人的状态感受思想被放大到整个社会，那就是宣传了。

——htrip